ちくま文庫

つっこみ力

パオロ・マッツァリーノ

JN113877

筑摩書房

つっこみ力【目次】

本文中に＝＝でつながれた語句のうち、上はたとえば「不惜身命」はルビをつけたもの。

文庫版はじめに

本書は二〇〇七年刊のちくま新書『つっこみ力』を文庫化したものです。

文庫化のオファーがあったとき、驚くと同時に、正直、ちょっと迷いました。というのは刊行からすでに一五年も経っていたからです。なので本書には、いまの自分の考えや主張とは異なる点が多々あることをお含みおきください。

一例をあげますと、本書ではリフレ政策を徹底的に批判しています。しかし、いまの私はそこまで否定的ではありません。大規模な金融緩和はデフレからの緊急脱出には一定の効果があったのだろうと認めてますし、当時の私は一部の経済学者をむやみに敵視しすぎて意地になってたことを反省しています。

ただ、日本銀行が異次元の金融緩和を約一〇年も続けたのに、狙いどおりの成果が出なかったのは事実です。なので理論と手法のどこかに問題があったことを認めて真摯に検証しなきゃいけないはずです。しかし日銀総裁の黒田さんは任期中、自分の間違いを決して認めませんでした。自分の理論的な正しさを意地になって証明したかっただけなんじゃないの、と思える頑なな態度は、学問的には問題です。

いいわけがましくなりますが、執筆当時はさまざまなことを全力で調べて、正しいと判断したことを自信を持って書いてました。本書ではさまざまな実験的手法を用いているので荒削りな印象は否めませんが、その試行錯誤はのちの著作で活かされてます。

だから決して本書を否定するわけではないのですが、これ一冊でパオロ・マッツァリーノという書き手を評価されてしまうと、いまの私にとっては、ちょっと心外ではあります。

文庫化に際し、誤字脱字の修正以外、本文には一切手を入れてません。社会情勢の変化や廃れた流行語などのせいで意味が取りづらくなってしまってる個所もありますが、最新のデータを用いて書き直そうとすれば全面改稿が必要になり、べつの本になってしまいます。ですからあくまで二〇〇七年当時の世相を反映した本であるという前提で読んでいただければと思います。

よけいなお世話かもしれませんが、私の著作リストと、自薦作品を載せておきます。私の初期の代表作といえば『反社会学講座』なのですが、社会学には飽きたので、近年はもっぱら、近現代日本文化史の検証に取り組んでます。現在の社会問題の根は必ず過去にあるという理念のもとに研究してるので、歴史社会学といえなくもありません。その成果を入手しやすい文庫・新書で読めるのが、この四冊。

『誰も調べなかった日本文化史』
『偽善のトリセツ』
『「昔はよかった」病』
『サラリーマン生態100年史』

本書を読み終えたら、ぜひ、これらの作品もお試しください。

パオロ・マッツァリーノ著作リスト

（単行本／同タイトルの文庫版・新書版の順に掲載）

『反社会学講座』（イースト・プレス）二〇〇四／（ちくま文庫）二〇〇七

『反社会学の不埒な研究報告』（二見書房）二〇〇五／『続・反社会学講座』（ちくま文庫）二〇〇九

『つっこみ力』（ちくま新書）二〇〇七／（ちくま文庫）二〇一三

『コドモダマシ　ほろ苦教育劇場』（春秋社）二〇〇八／（角川文庫）二〇一一

『日本列島プチ改造論』（大和書房）二〇〇九／（角川文庫）二〇一二

『13歳からの反社会学』（角川書店）二〇一〇／（角川文庫）二〇一三

『パオロ・マッツァリーノの日本史漫談』（二見書房）二〇一一／『誰も調べなかった日本文化史』（ちくま文庫）二〇一四

『怒る！日本文化論』（技術評論社）二〇一二／『日本人のための怒りかた講座』（ちくま文庫）二〇一六

『ザ・世のなか力　そのうち身になる読書案内』（春秋社）二〇一三／『世間を渡る読書術』（ちくま文庫）二〇一七
『偽善のすすめ　10代からの倫理学講座』（河出書房新社）二〇一四／『偽善のトリセツ』（河出文庫）二〇一九
『「昔はよかった」病』（新潮新書）二〇一五
『エラい人にはウソがある　論語好きの孔子知らず』（さくら舎）二〇一五
『みんなの道徳解体新書』（ちくまプリマー新書）二〇一六
『会社苦いかしょっぱいか』（春秋社）二〇一七／『サラリーマン生態100年史』（角川新書）二〇二〇
『歴史の「普通」ってなんですか？』（ベスト新書）二〇一八
『思考の憑きもの　論より実践のクリティカルシンキング』（二見書房）二〇二二
『読むワイドショー』（ちくま新書）二〇二三

つっこみ力

於・家政法経学院大　宝塚記念小講堂　二〇〇六年　夏

第一夜　つっこみ力とはなにか　もしくは　なぜメディアリテラシーは敗れ去るのか

どうも。パオロ・マッツァリーノです。本日はお暑い中、そして、お忙しいところ、ようこそお越しくださいました。えー、なんともこぢんまりとした会場で、たいへんけっこうです。シークレットライブでは、お客さんとの一体感が大切ですので。

まずは諸注意を。

ときおり、こちらのスクリーンに引用句やグラフなどを映しますので、ご参照ください。これだけなら、どこの講演会でも普通にやってるので珍しくもないのですが、私の場合は講演と公演を兼ねておりますので、だしぬけに舞台袖から知らない人たちが出てきて、コントや漫才が始まったりします。すべて演出の一部なので、驚いて警察に通報しないよう、あらかじめお願いしておきます。

通報されないようにってんじゃありませんが、ケータイの電源はお切りになりましたでしょうか。でもいつも思うんですけど、劇場や電車の中で「ケータイの電源をお切りください」って毎日毎回、頼んでるのって進歩がないですよね。

発想を変えるってことは大事です。ちょっと発想を変えれば、そんなアナウンス自体、必要なくなるはずです。ケータイの会社同士で話し合って、ケータイの電源を自動的に切るための特殊な電波信号みたいのを決めればいいじゃないですか。劇場とか電車とか病院とか、ケータイを使ってほしくない場所に、その信号を発信する装置を設置しておけば、ケータイが信号を感知して勝手に電源がオフになります。これなら、いちいちオフにしろと念押しする手間がはぶけます。

そうすると、電源入れ直すのを忘れちゃう？　だから、今度はお客さんが帰るとき、「ケータイの電源を入れるのをお忘れなく」ってアナウンスすれば、ああ、気がきくな、ってみんなに喜ばれます。これも発想の転換です。

ＩＴ革命とほとんど縁のない私が考えつくくらいですから、こんな技術はどっかのヒルズ族がとっくに考えていそうなもんですよね。なんで実用化されないんでしょう。法的な問題ですかね？

技術的には単純極まりないはずです。だっていまどきのケータイって、最先端技術のカタマリですよ。カメラがついてる、ネットにつながるなんてのは、もう自慢にもなりません。音楽聞けるわ、テレビは見られるわ、お財布にはなるわ、アンテナ伸ばすと先っちょから水が出てウォシュレットになるわ……最後のはさすがに実用化が難しいと思いますけど――使ってる最中に電話かかってきちゃうとね。「いま、だいじょうぶ？」って、だいじょうぶじゃねえよ！

さ、そういうわけで、二夜連続の講演会のお題は「つっこみ力——愛と勇気とお笑いと」となっております。あの、私の話は、ムダ話だと思ってると、本題につながってることもありますし、深刻な話かと思って聞くとヨタ話だったりもしますので、柔軟な姿勢で聞いてくださるよう、お願いします。

うかうかしてるといつの間にか別の話題になってたりしますけど、「しまった、私としたことが、つい、うかうかと！」みたいに悔やむ必要はありません。いまの世の中、効率と正確さばかり追求するもんだから、なかなか普段うかうかする機会に恵まれません。

電車の運転手のかたなんか、「うかうかしてると事故を起こしかねないぞ、気を引き締めて業務につくように」なんて社長にハッパをかけられます。その社長さんのほうも、うかうかしてると、知らないうちにサンダーバードの人形みたいな顔した人に会社の株を買い占められてたりするんですから、本当にうかうかできません。

われわれ人類の祖先は、火を発明することで、夜、猛獣に襲われる心配をせずに、うかうかと眠れるようになったんです。火の発明が、国内総うかうか指数、GDU (Gross Domestic UkaUka) を飛躍的に増大させました。それは、人類史上最初の高度うかうか成長期でした。

ところが火が発達して核ミサイルにまでなったら、いつ、こっちに飛んでくるかと、逆にうかうかできなくなってしまったではありませんか。企業買収やマネーゲームの技術が発達したら、株価ばかりが気になって、うかうか本業に打ち込んでいられなくなってしまいました。技術や経済が発展しすぎると、うかうかできなくなっちまうんだから困ったものです。なんのための技術発展、経済発展だか、わかりゃしない。

ともあれ今夜は、存分にうかうかしていってください。うかうかできるってことが、どれだけしあわせなことか、噛みしめていただきたい。おやつ食べながら聞いてくださってもけっこうですから……なんでおやつが良くてケータイがダメなのか、よくわかりませんけど。

愛の章──わかりにくさは罪である

なんかこのごろ、せつせつと、愛がたりないと感じるんですよ。私が三〇代後半で独身だから？　そうじゃないといえば、ウソになりますけど、そればっかりが理由でもないと思います。私はどう見ても、日本には愛がたりないと思うんです。

日本語には、愛国心って言葉はあるけど、愛国民心って言葉はありません。愛社精神や愛校心はあるけど、愛社員精神や愛生徒心って単語は、どこをどう突っついても、出てきません。

どうなっちゃってるんですか。国民がいくら国を愛しても、国は国民を愛してくれないだなんて、それじゃあ、いつまでたっても片想いじゃないですか。会社も社員を愛してくれない、学校も生徒を愛さない。なんで全部片想いなんですか。片想いも思い過ごしも愛のうちだってのは、強がりですよ。両想いにこしたことはないでしょう。相思相愛のほうがいいに決まってますよ。

私が尊敬する、ある日本人は、「日本の忠、孝なんてのには実践が伴ってない、西洋はすべて愛ですましてるじゃないか」という名言を残しました。なんです？　そんなふやけた西洋かぶれ野郎は、武士道精神で叩っ斬ってやるから、名前を教えろ？　うーん、まあ、もうとっくにお亡くなりになってるかたなので、お教えしても差しつかえないでしょう。その名言を残した日本人は、新渡戸稲造という人なんです。ご存じないですか？　海外生活の長かった人で、奥さんも外人で、著作の多くを英語で書いたという西洋かぶれの人なので、日本のみなさんがご存じないのも無理はないのかなあ。だったらぜひ、この機会にファンになってくださいね。「人間は国家より大きい」ってのも、新渡戸の言葉です。しびれるフレーズでしょう。

新渡戸が一高——いまの東大教養学部ですけど、そこの校長だったとき、でこぼこだったグラウンドの整備費を申請したら、文部省に却下されました。それなのに、学生がケガをしたらどうするんだ、と考えた新渡戸は、他の予算を流用して、勝手にグラウンド整備をしてしまいました。当然、文部省からは大目玉を食らったそうですが、これこそが、愛生徒心ではありませんか。

グラウンド整備に熱心だったくせに、新渡戸はなぜか野球が嫌いだったんですけどね。盗塁だとか、人をペテンにかけるような遊びは、不道徳だと思ってたみたいです。大げさですね。

もっとも、野球批判をしていたのは新渡戸にかぎったことではなく、明治時代の終わりごろには、野球は青少年を凶暴にするからやめろ、という声がけっこうあったんです。試合中の判定をめぐって選手同士が乱闘したことが報道されたりしたもので、野蛮だと思われたんでしょう。

高校野球のスポンサーになっている現在からは考えられませんけど、当時、先頭に立って学生野球害毒論キャンペーンの旗振ってたのは、朝日新聞だったんです。一方、読売新聞は野球擁護派に回ったそうです。当時からライバル同士だったんですね。

こんな人は国に愛される

日本の憲法も、信じられないほど愛が欠けてます。国民が税金払うことが義務だって書いてあるんです。国民を愛してもいないくせに、片想いの相手にカネを貢がせるだなんて、筋金入りのろくでなしか、性悪女《しょうわる》のすることです。そういう悪いことを、小学校の社会科で国民の三大義務とかって教えるから、自己中心的なこどもが増えるんです。

そのくせ、税金使うほうの義務は一言も書いてないもんだから、公務員や議員先生は税金のムダ遣いをし放題です。日本では、納税は義務で、ムダ遣いは権利なんですね。そういう問題こそ、社会科の教科書で取り上げてほしいんですけど、書くと検定で削られます。ところで、そもそも国民に税金払えなんて命じる、愛のない憲法を持ってる国は、世界の中でも少数派だって、ご存じでした？

でもどうやら、お金持ちだけは国から愛されるというのは、万国共通らしいです。日本でも、こういうとこだけは進んで欧米のマネをして、どんどん累進課税の最高税率が減らされてきました。貧乏人が生活保護を申請に行くと、門前払いをくわされることが多いんですから、愛されかたにずいぶんと格差があります。

最高税率を低くする根拠としてよく耳にするのは、税金が高いと労働意欲がなくなるという理屈です。国会で居眠りする議員がいるのは、きっと税金が高いからなのでしょう。

でも現実に、お金持ちや社長さんで、税金が高いからという理由で仕事を辞めたり、やる気なくしてニートになったなんて話は、聞いたためしがないんですよね。

部長さんが取締役会に呼ばれ、「キミを社長に抜擢する」といわれたときに、「社長になると所得税率が高くなって労働意欲がなくなるので、私はなにとぞ、部長のままでいさせてください」なんて辞退する奇特なかたがいらっしゃいましたら、ぜひご一報いただきたいと思います。

それどころか、税率がむちゃくちゃ高かった高度成長期のほうが、社長のみなさんは、いまよりモーレツに、寝る間も惜しんで仕事をしていたではありませんか。むしろ日本のお金持ちは、所得税を高くしたほうが、よく働くように見えます。日本より税金が安いはずのアメリカでは、若くして巨万の富を築くと、四〇、五〇代くらいで早々に引退してしまう人も珍しくありません。日本は税金高いのに、よぼよぼになってもまだ仕事をしている金持ちがたくさんいます。

どうやら、高い税率が労働意欲を削ぐという説は、なんの根拠もない、机上の空論にすぎないようです。

税金が高いと優秀な頭脳や人材が海外に流出するおそれがある、なんていう人もいますけど、現実にそうなってるかというと、そうでもない。北朝鮮は所得税がないんですから、みんな行きたがりそうなものですけど、だれも行きたがりません。それどころか、むこうから人が流出してきます。

節税対策のために海外に行くような人は、一握りです。ほとんどの人は、日本よりうんと高い給料か、日本にはないチャンスを求めて、海外へ行くのです。プロ野球選手が大リーグに行きたがるのは、それが目的でしょう。べつに節税対策のためじゃありません。

どう考えても理屈では説明不可能です。やはりお金持ちの税率が下げられたのは、お金持ちだけは特別、国から愛されているから、としか思えません。愛国民心はなくとも、愛お金持ち心は存在するようです。

具体的に言ってよね

いまや、映画や小説の業界では、愛を叫んだり、涙を垂れ流したり、感動を特盛りつゆだくにして大盤振る舞いをしなきゃいけないような風潮に染まっています。ハリウッド製のコメディ映画が、日本のテレビCMでは感動作であるかのように宣伝されているのを見るにつけ、お笑いブームってなんなんだろ？　と思わずにはいられません。

愛を垂れ流す風潮にやはり批判的な角川春樹さんのインタビュー記事が、ある雑誌に載ってました。女優の蒼井優さんが、以前に出演した映画の監督を、「愛のある監督です」といったそうで、それを聞きとがめた角川さんは、「愛ってなんだ？　愛の反対はなんだ？」と問いつめました。蒼井さんは答えられず、「すいません」と謝ったそうです。

愛って言葉をつけさえすりゃいいのか、という角川さんの異議申し立てには、個人的には大賛成なのですが、それで若い娘《こ》いたぶってもしょうがないでしょう。愛の反対はなんだ、なんてのは、小学生の口げんか並みのいいがかりじゃないですか、大人げないなあ。

ですからここはあえて、若い人に肩入れしてあげましょう。なんせ、こちとら、つっこみ力です。お偉いさんやカリスマにしっぽを振りたい人は、おあいそ力でも学んでください。

オトナから抽象的な質問を受けて困ったときは、逆に相手に訊き返すのも、ひとつの手です。「じゃあ、愛ってなんなんですか？」みたいに。それで相手が「質問に質問で答えるな！」とか「自分で考えろ！」と逆ギレしたら、むこうも答を知らない証拠です。

抽象的な言葉を念仏のように並べ立ててきたら、「もっとわかるように説明してください」「具体的にいってください」と、なんべんもしつこく迫りましょう。そのうちボロを出します。

もちろん、なるほどさすがは年の功、と、思わずこちらをうならせるような答を聞ければ、それに越したことはありませんけどね。ドストエフスキーなんかは、人類愛を語るのは簡単だが、隣人を愛するのは難しい、なんて、強烈な真理のボディブローを打ってきますが、そういうわかりやすくて含蓄のある名言すら、ちかごろのオトナは、知らんでしょう。

たぶん角川さんも、愛がなんなのか答えられなかったんじゃないですか。インタビュー記事でも「明確に答えられない愛なんて不毛じゃないか」とおっしゃるわりには、愛とはなにかをはっきり定義せず、うやむやに終わらせてますし。

じゃあ、おまえはどうなんだよ、とお鉢が回って来ますか。来ますよね、やっぱり。

もちろん、答えられますとも。というか、じつはいまさっき引用した角川さんの言葉が、私の答とかぶってるんですけどね。明確に答えられない愛なんて不毛、ってのがそうです。私の答はズバリ、愛とは、わかりやすさである。

わかりやすい方がいいじゃん

つっこみ力では、わかりやすさを重視します。お笑いでも、ボケ役は、ときにわかりづらいボケをかますことがあります。そのわかりづらいボケをすかさず拾って、客にわかるように伝え、盛り上げることができるかどうかが、いいツッコミ役の条件です。つっこんで余計にわかりづらくなってしまっては、台無しです。

しかし、論理力や批判力を重視する人は、知らず知らずのうちにそういうことを平気でしてるんです。ご本人は論理的に説明してるつもりでも、こちらにはさっぱり伝わらない。なにを批判したいのか、相手にも、第三者にもよくわからないことがあります。

ときおり、学者のあいだから、「わかりやすけりゃいいってもんじゃないだろ」みたいな妙なつぶやきが聞こえてくるんです。しかも、ちょっと信じられないのですが、三〇、四〇代の若手までがそんなことをいうんです。

学者病の最たる症状、というか、末期症状と診断すべきかもしれません。学問的価値のある理論はわかりづらいものだ、とする時代錯誤な考えかたが、いまだに若手の学者のあいだにまで受け継がれているのは、やっぱり一種の病気です。

わかりやすく、具体的なたとえで考えてみましょう。特殊な物理学みたいな、一般にはまるでなじみのない専門的な研究をしてる独身男に、彼女ができたとしましょう。

彼女は理工系の知識がまったくない、ごく普通のＯＬです。血液型占いを百パーセント信じてます。クルマの免許はオートマ限定です。インターネットって、ヤフーがやってるんでしょ、みたいなことをいいます。

その彼女に、「あなた、毎日どんな研究してるの」と聞かれたら、男はどうするでしょうか。「おまえなんかには、わからねえよ。理解できるレベルまで勉強してから、もう一度質問しろよ」と冷たくあしらうでしょうか。

すると彼女は物理の猛勉強を始め――なんて展開には、絶対に、なりません。そんな冷たいあしらいかたをすれば、彼女は背を向けて去っていくだけです。そうなってから、「キミとボクのベクトルは、永久に重なり合わないんだね」とつぶやいても、後の祭りです。

本当に大切に思っている人から、どんな研究してるのかと聞かれたら、必死になってわかりやすく説明しようとするはずですよね。少なくとも、必死に伝える努力をしますよね。恋人にわかりやすく説明しようとする気持ちが、愛なんです。なんでその愛情を、学生や一般の人にも向けようとしないんですか。わかりやすけりゃいいってもんじゃないだろ、なんて平気でいい放つ学者は、学生や一般人にわかってもらおうという愛がまるでないんです。そんな料簡で、学生に教えてるんですから、大学生の学力が低下するのもムリはありません。

それどころか、ちかごろじゃ、自分が説明ベタでシロウトに理解してもらえないのを棚に上げて、世間を見下す学者まであらわれました。

世間知・専門知なんて区別が、いつのまにか学問の世界にはびこっているんです。専門家の知識が社会を正しい方向に導けるはずなのに、世間やマスコミには愚かな間違った知識がはびこっており、それが社会の進歩を妨げているのだ、という、俺様モード全開の鼻持ちならない考えです。

まあ、たしかに、世間の人たちは、論理や理屈をいわれても、なかなか考えを変えようとはしません。世間の人たちが古い常識に凝り固まっているというのも、ある程度は事実です。それはたしかにありますけどね、でも、学者や専門家の説明があまりにもヘタで、わかってもらう努力もしていないせいもあるんじゃないですか。

いえ、私はむしろ、そっちの要因のほうが大きいと思ってます。なぜなら、学者が書いた本でも、わかりやすくておもしろければ、何十万部も売れるじゃないですか。世間の人は愚かで学がないかもしれないけど、決して、聞く耳を持たないわけじゃないんですよ。

こっちの説明を理解できるまで勉強しろなんていいぐさは、甘えですし、責任転嫁です。ちかごろは医者だって、医学のシロウトである患者への説明責任を果たせなきゃいけないんです。裁判員制度が始まれば（二〇〇九年五月開始）、弁護士は、法律の専門家である裁判長でなく、シロウトの裁判員にわかる言葉で説明しなければなりません。

これからの時代は、シロウトに説明できるだけの国語能力を持つことが、プロの条件なんです。それができないからといってシロウトを世間知だと責める連中こそが、時代遅れで自分に甘くて愛のない、救いようのないドシロウトなんです。

雑学おおいにけっこう

先日、ある社会学の本を読みましたら、社会学が尊敬されるにはどうすればいいのか、なんて文章に出くわしまして、吹き出しそうになってしまいました。いや、冗談じゃないんですよ。彼らはまじめにそんなことを考えてるらしいんです。

ある社会学者が居酒屋にいったところ、居酒屋のご主人に、先生はどんな研究をなさってるんです？ とたずねられたんですね。そこでいろいろ説明すると、ご主人に「社会学ってのは、雑学なんですね」といわれて、学者先生、がっかりしたそうです。

このかたは、シロウトに説明しようと努力しただけ、ずいぶんましです。愛があります。ただ、なんで雑学といわれてがっかりするのかが、わかりません。いいじゃない、雑学で。

ていうかね、社会学ってのは、抽象的な総論より、具体的な各論が絶対的におもしろい学問なんですよ。だから、社会学は、社会と人間を対象とした究極の雑学である、といい切っちゃってもよろしいんじゃないですか。居酒屋のご主人はものの数分で、社会学の本質をズバリと見抜いていたわけです。こういうところが世間知の、油断ならない奥深さです。

それにしても、本来、世間知ってのは、世渡りの智恵みたいな、いい意味で使われてたはずですけどねえ。だから、世間知のないヤツは、「世間知らず」とさげすまれて、一人前のオトナとみなされなかったんです。

世間知とは、もともと仏教の言葉なんです。世間智、と書きまして、「ち」の字が違うんですが、仏教では仏の智慧以外は、すべて世間智と呼ばれます。つまり仏の目から見れば、しょせん、経済学も社会学もみんな世間智にすぎません。傲慢な態度を改めないと、成仏できませんよ。

それこそ、新渡戸稲造や福沢諭吉が、なんで一般人にまで知られる存在になったと思います？　それは、江戸時代から続いていた閉鎖的な学者病を批判して、庶民にもわかりやすく説明しようと心を砕いたからなんです。

福沢は、書いた原稿を、家の使用人に読ませて意味が分かるかたずねていたといいますし、新渡戸も、「平民にわかるように平民の言葉で書かねばならない」と、かねがねいってたそうです。でもそのために、わかりやすく説明できない学者どもから、通俗的だ、浅薄だ、と非難されたんです。

バカにされまいとして難しい言葉を並べたり、正しい理論で社会を正しいほうへ導こうなんて救世主を気取ると、余計に世間から疎まれるんです。一般の人に向けてわかりやすく説明してれば、自然とみんなから愛されるようになるんです。居酒屋のご主人に社会学を尊敬してほしいなら、「おうよ、社会学ってのは雑学だ。けど、そんじょそこらのケチな雑学とは、ひと味違うんだぜ」とばかりに、一般の人が目からウロコを落としそうな事例を二つ三つ紹介すればいいんです。そうすりゃ居酒屋のご主人、感心して、お銚子の一本もタダにしてもらえる……かどうかは、粋《いき》なあなたの腕次第。

戯作の精神

ところで申し遅れましたが、私は学者ではありません。肩書きを聞かれたときには、庶民向けにおもしろおかしい本を書いていた江戸時代の人たちにならいまして、戯作《げさく》者《しゃ》と名乗ることにしております。

うがった見方で趣向を凝らしてなんでも茶化すのが、戯作の精神だと、ものの本には書いてありまして、おや、なんか昔の日本にも、自分と似たようなことをやっていた人たちがいたんだなと感心したのです。

まあ、近頃の日本では戯作者なんて職業を名乗る人がほとんどいないようですし、戯作者組合みたいな団体や、天下り特殊法人による戯作者検定試験なんてのもないようなので、勝手に名乗っても怒られないだろうと踏んで自称しているだけです。べつに大層なもんじゃございません。

江戸時代の戯作者および発明家として知られる平賀源内は、わけのわからない知識や理屈を振りかざすだけでちっとも役に立たない学者を、「屁っぴり儒者」と呼んでバカにしてました。また、智恵のあるものが智恵のないものをそしる言葉には、馬鹿、たわけ、あほう、といろいろあるのに、智恵のないものが智恵のあるものをそしる言葉はない、なんてこともいってます。なるほど、そういわれりゃあ、たしかに不公平ですね。

私も江戸の戯作者にならいまして、学者や評論家の悪口陰口を叩きますので、万が一、客席に該当するかたがいらっしゃいましたら、気分を害される前にお帰りいただいたほうが精神衛生上もよろしいかと。……いらっしゃいません？　ああ、よかった。

ここだけの話、えてして、そういう手合いほど、自分ではそうだと気づいてないものなので、やっかいなんですよ。最初のうちは、「そうそう、そういうヤツもいるんだよなあ、あはは」なんて一緒になって笑ってるんですが、じきにご自分のことだと思い当たると、烈火のごとく怒り出すんですから、始末に負えません。毒舌ってのは、他人がいわれてるからおもしろいんです。ご自分がネタにされると、たいていの人はご機嫌を損ねます。

毒舌の餌食になって怒りがおさまらぬ大先生、昔だったらウチに帰って、家族やイヌを蹴飛ばして八つ当たりしてたところですが、いまはとっても便利なものがあるんです。悪口をブログにしたためるのです。するってえと、太鼓持ちみたいな弟子の助教授あたりが、速攻でおべんちゃらコメントを書き込みます。「先生のおっしゃるとおりでゲス。奴《やっこ》さん、なーんもわかっちゃいねえんでゲスよ」溜飲を下げた大先生、「ほう、キミはなかなか見所があるね。今度、教授になれるよう推薦してあげよう」。

このように、いまやネットによるコミュニケーションは、学問にとって欠かせないものとなっています。

伝わってナンボ

　もともと学問なんてのは、誰にでもできる、くだらないけどおもしろい娯楽なんですよ。だから、みんなに開放されているべきものです。ところが現実には敷居は高いわ、鉄の扉は閉まってるわ。

　たまに私みたいな不埒《ふらち》な輩《やから》があらわれて、勝手口からみんなを呼び込んで、ささ、どうぞみなさん学問の世界を覗いてやっておくんなさい、お代は見てのお帰りだ——なぁんてことをやらかしますと、学者先生たち、お気に召さない。うすら馬鹿どもがひやかしに学問の秘密の花園をのぞきに来るなどもってのほか、とプリプリ怒りながら、また門を閉ざそうとするのです。

　そんなわけで、学問なんてのは誰にでもできるものなんだ、イバるほどのものじゃないよ、というのが私の主張なんですが、そのためには、わかりやすく説明しなきゃいけません。でも、わかりやすく説明できない人にかぎって、わかりやすく説明する人が人気を博すと、批判するんです。わかりやすい嫉妬です。

　それにしても、わかりやすけりゃいいってもんじゃない、なんてひねくれた考えが、いったいどこから湧いて出るのか解せません。電器製品買うとマニュアルがついてきますけど、説明している内容が一緒なら、わかりにくいマニュアルとわかりやすいマニュアル、どっちがいいですか。わかりやすいほうが百パーセントいいに決まってるじゃないですか。

昔からよく、職人は自分の道具箱の中身を他人に見せないといわれてます。それは一般には、道具には各自の工夫がこらしてあって、その技を盗まれないようにするためだと解釈されてますが、小関智弘さんは長年の職人としての経験からそれに異を唱えます。隠しているのは優れた技ではなくて、技の貧しさだというんですね。下手くそな職人ほど、手前の腕を見破られるのをおそれて道具を隠すんです。

わかりにくい説明をする学者も、これと同じじゃないですか。わかりやすく説明したら、なあんだ、学問ってのは、どうでもいいことを難しく説明してるだけなんじゃん、と世間に知れ渡ってしまうから、ご自分の権威を保つために、難しい言葉でカモフラージュするんです。

もうひとつ考えられるのは、学者は、わかりにくい理屈や言葉にエクスタシーを感じるのではないか、という可能性です。つまり、ある種のマゾヒズムですね。個人がいろんな性的嗜好を持つことは自由ですし、他人の権利を侵害しないかぎりは、できるだけ尊重しますけど、それを一般人に押しつけないでほしいなあ。

ただ、エンターテインメントや芸術は別個に考えてくださいよ。そこには、「なんだかわかんないけどおもしろい」という評価軸があるからです。エンターテインメントや芸術は、正しさではなく、おもしろさで評価されるべきものですから、ときにはわかりにくい表現も許されます。意味のわからないナンセンスなコントを見て、なんだよそれ、とつっこみながらも、なぜか笑ってしまうこともあります。

でも、学問はそうじゃありません。学問は伝わってナンボです。伝わらずに、自分だけわかったつもりになってたら、無意味な自己満足です。——といいましたら、アインシュタインの相対性理論だって、最初はだれにもわからなかったではないか、と得意げにおっしゃった人がいました。アインシュタイン並みの業績を残してない人にそんなことといわれても、説得力ゼロですよねえ。

上岡龍太郎さんのお父さんは、お金にならない仕事ばかり引き受ける貧乏弁護士だったそうですが、素晴らしく説得力のある名言を残しています。

弁護士は国家試験通ったて言うけれど、あんなもんは国家試験やない。官僚試験や。一部のもんが決めたことに答えるだけや。その点、お前ら［漫才師］は毎日のようにラジオ・テレビに出て、国民の審査を受けて、よければ上へ浮かびあがる。これがほんまの国家試験や。

——上岡龍太郎『上岡龍太郎かく語りき』

世間知などといってシロウトを見下したり、シロウトに伝わらない本ばかり書いている愛のない学者は、国家試験落第ってことですね。

笑いの章——つっこみ力の真髄

さて、そろそろ、テーマとなっている「つっこみ力」の話に入らないといけません。じゃ、いままではなんだったんだ、ってことになりますけど、無関係じゃないんです。つっこみ力は、愛と勇気とお笑い、この三つの柱で構成されているのだ、といいたいがために、まずは、わかりやすさこそが愛である、という説明をしたんです。

まあ、テーマなんて本当はどうでもいいんですけどね。国語の試験や小論文じゃないんだから。

マーク・トウェインの『ハックルベリー・フィンの冒険』といえば、名作文学のひとつとされてますから、お読みになったかたも多いことでしょう。でも、その冒頭でこんな警告が発せられていることは、あまり知られていません。

この物語に主題を見出さんとする者は告訴さるべし。そこに教訓を見出さんとする者は追放さるべし。そこに筋書を見出さんとする者は射殺さるべし。

テーマなんてなくてもいいじゃねえか、本なんて、おもしろいかつまらないかしかねえんだよ！　というパンクな宣言です。これは岩波文庫版からの引用ですが、新潮文庫版では、せっかくのこのパンク宣言が省略されてました。児童文学には過激なブラックユーモアはふさわしくないし、テーマはなければいけない、と判断したのでしょうか。

テーマパークってのが各地にありますけど、入場券売り場で「このテーマパークのテーマはなんですか」と詰め寄ってる人は見たことありません。聞けばたぶん「夢と魔法」とか「人類の進歩と調和」とか「酒と泪と男と女」とか答えてくれるんでしょうけど、「夢と魔法？　うーん、父さん、そのテーマには賛同できないなあ、今日はやめにして帰ろう」なんてことになったら、こどもはグレますよ。

小論文の指導なんかだと、テーマをひとつに絞りなさい、みたいなことをいいますが、貧乏人はこれだから困ります。ラーメンだって、煮タマゴ、チャーシュー、メンマにナルト、具がいっぱいのってたほうが嬉しいんです。テーマだって、たくさんあったほうが楽しいに決まってます。

講演会のテーマなんて、楽しくいろんな雑談をして、お客さんを飽きさせないように、わざとゆるいものにしてるんです。

「これからの教育について」——これなら世界の教育制度についてでも、自分の子育て体験記でも、イヌのしつけとヒトのしつけの比較でも、内容はなんでもアリです。「曲がり角の日本社会」——まったく具体性がないのに、妙に興味をそそります。いかにも意味ありげで危機感を募らせる演題なので、政治評論家や経済評論家の先生が好んで使い、全国を講演して回って荒稼ぎです。

けど、実際聞いてみますとたいていは、さほど危機とは思えないネタで危機感をあおるだけあおって、時間がきたのでこの辺で、と壇上を去ります。そういえばあの先生、具体的な解決案をなんも示してないよなあ、とあなたが気づく頃には、すでに先生は、新幹線のグリーン車で缶ビールあけてほろ酔い気分です。

そんなこと言ったっけ？

テーマってのは、読み手や聞き手が勝手にいろいろ見つければいいものでして、書き手や語り手がムリにひとつに設定しなくてもいいんです。だいたい、えてして読者は、書き手が意図しなかったテーマを汲み取ってしまうものなんです。

私が以前書いた本に、こんな感想が寄せられてました。「著者はメディアリテラシーの重要性を説いているようだが、日頃から読書にいそしんだり、ネットを使いこなしたりしている者にとっては、そんなもの常識だ。なにをいまさら」。

いわれた私は、つかのま絶句。あれ？　私、そんなことといったかなあ。著書の中では、メディアリテラシーという言葉をたぶん、一度も使ってませんし、その重要性も主張したおぼえがないんです。

念のため自分のサイトを検索したら、そっちではチラッとそんなようなことを書いていました。それをご覧になった上で感想をお書きになったのかもしれませんけど、私本人が忘れてたくらいです。

じつはここ数年で、考えが変わりました。メディアリテラシーなるもののありかたに対する疑問が、日増しに強まっていったのです。知ってて損はないけれど、それを学んだからといって、たいした意味も効能もないんですよね。

メディアリテラシーという非常識

ところで、念のため確認しときますけど、メディアリテラシーって知ってます？　いえ、なにもみなさんが知ったかぶりしてると疑ってるわけではないんですが。

解説書の説明をまとめると、イギリス生まれでカナダ育ちのしろものだそうです。要するに、メディア――テレビや新聞、雑誌、広告が伝える内容には、制作側の意図による偏りが含まれるから、鵜《う》呑《の》みにせず、制作者の意図をきちんと見抜いて判断しましょうね、ということなんですけど、ほら、それができたからって、どうなのよ、って感じは否めないでしょ？

メディアリテラシーという言葉を日本で耳にするようになったのは、九〇年代後半のことでした。ですから、すでに一〇年近くが経過しておりまして、近頃では常識だとおっしゃるかたもいらっしゃいます。

でも、ホントにそうですか？　私は「常識」といわれると余計に疑ってしまうタチなもんでして。なにしろ常識なんてものは、人の数だけあるんです。常識をひとつに絞れると思ってたら、そういうあなたが、いちばん非常識です。

そこで、メディアリテラシーが常識かどうか、調べてみました。

新聞などでたびたび取り上げられるので、ご存じのかたも多いでしょうけど、国立国語研究所というところが、外来語定着度調査というのをやってます。一六歳以上の人を対象に、いろいろな外来語の意味を知ってるか、聞いたことがあるか、使ったことがあるかを訊ねる調査です。メディアリテラシーは、二〇〇三年の調査で取り上げられていますので、その結果をお見せしましょう。

メディア・リテラシーという言葉を

聞いたこと(目にしたこと)がある人　一一・八%

意味がわかる人　五・三%

使ったことがある人　二・四%

あら。やっぱり常識じゃなかったみたいですよ。逆にいえば、メディアリテラシーなんて言葉は見たことも聞いたこともないという人が九割近くもいたのです。九〇年代後半に登場して、このていたらく。この調査時点からすでに三年あまりの月日がたっていますが、その間に大幅な認知率の向上があったようには思えません。

ちなみに「マニフェスト」という言葉は、平成一五年の総選挙で民主党が使い、連日のようにマスコミの選挙報道で流されたおかげで、認知率が一二パーセントから三六パーセントに跳ね上がりました。これくらい集中的に取り上げられてブームにならないかぎり、耳慣れないカタカナ言葉を一般市民にまで浸透させるのは難しいのです。しかも外来語定着度調査で「意味がわかる」というのは、あくまで回答者の自己申告です。調査員がその場でテストして確かめたわけではありません。「リストラ」なんてのは九二パーセントの人が意味がわかると答えてますけど、実際には、リストラを単なるクビ切りの意味だと誤った解釈をしてる人もかなりいます。

メディアリテラシーの意味がわかるという五・三パーセントの中にも、カン違いしておぼえている人、見栄をはって知ったかぶりしてる人が必ず含まれているはずです。そのぶんを差し引くと、ますます、「メディアリテラシーなんて常識だよ」と大声でいうのが恥ずかしくなってきますよね。

それにカタカナ語は、けっこう間違って定着する確率が高いのです。先日も、テレビで若手お笑い芸人が「俺をもっとフューチャーしろ！」と叫んでましたけど、俺をもっと話題の中心として取り上げろという意味なら、それは「フィーチャー」です。フューチャーだと「未来」ですから、俺をもっと未来しろって、かっこいいのやら、アホなのやら。

そもそも「リテラシー」って単語の認知率が一〇・七パーセントしかないのですから、普及しないのも無理はありません。国語研究所では、リテラシーを「読み書き能力」もしくは「活用能力」といい換えたらどうかと提案してます。賛成です。というか、リテラシーなんて言葉を単独で使う理由も機会もまったくないし。

やはり、言葉そのものになじみがないことが、メディアリテラシーという概念が広まらない大きな原因となっていることは間違いないのですが、国語研究所は、メディアリテラシーのいい換え案は提示してくれません。取り上げる価値すらないという判断だったりして？

命名！「つっこみ力」

谷岡一郎さんは、統計や社会調査の専門家としての立場から、リサーチリテラシーという概念を提唱しています。メディアリテラシーは、メディア全般が対象なため、やや漠然としたところがありますが、その対象を統計やアンケートに絞ることで具体性を増し、わかりやすくしたのがリサーチリテラシーです。私も少なからぬ影響を受けました。もっとも、私の場合はもっぱら、これを応用して統計漫談にしております。しかしリサーチリテラシーとて、説明されなきゃ意味はわからず、一般人にとってなじみのない言葉であることには変わりはありません。やはり庶民の口の端にのぼる日は来ないでしょう。

日垣隆さんはジャーナリストとしての立場から、メディアリテラシーを、「情報の目利きになること」と定義し直しています。なるほど、これなら意味は伝わります。しかし問題もあります。近頃では高校や大学の授業でメディアリテラシー教育が取り入れられているそうですが、科目名として「情報の目利きになる」では言葉として据わりが悪い。

日本人はただでさえ、長い固有名詞を嫌い、四音節以下に短縮したがる傾向があります。木村拓哉さんみたいな決して長いとはいえない名前ですら、「キムタク」と略さずにはいられないのが日本人の性《さが》です。アイスコーヒーですら、レイコーと略さずにいられないのが関西人の性《さが》です。倖田來未さんは「コダクミ」……とはいわないのか。情報の目利きになる、は「ジョメキ」？　しまらないなあ。

そういやあ、メディアリテラシーも、略しづらい言葉ですよねえ。略しづらいから流行らないってのも、ひとつの真実ですよ。言葉のパワーを軽んじてはいけません。やっぱり流行る言葉って、「エコ」とか「ロハス」とか、短くて口に出しやすいんですよ。セクシャル・ハラスメントだって、セクハラと略されて流行るようになったんですから。流行っちゃいけませんけど。

そこで戯作者の私としましては、いっそのことメディアリテラシーを日本人向けに「つっこみ力」と改名したらどうかと、ご提案するのです。そう、漫才で使う、あのつっこみです。

これなら初めて耳にした人でも、なんとなくイメージできますし、しかも五音節。「りょく」の語尾の母音「u」は実際には無音化することが多いから、「りょく」を強引に一音節とみなせば、四音節です。ぎりぎりセーフ。

表記はひらがなとカタカナ、両方可能ですが、「つっこみ力」という言葉だけに関しては、命名者の私の権限で、勝手ながら、ひらがなにさせていただきます。

こちら、スクリーンに表示してみたのでごらんください。カタカナで「ツッコミ」

と書くと、字面に険がありすぎます。とげとげしいんですね。それと、カタカナで書くと、「力《りょく》」という漢字までが、つられてカタカナの「カ」にみえてしまい、「つっこみか」と読まれそうなので。

ちなみに、タカアンドトシの「欧米か」というフレーズの「か」をカタカナにすると、「欧米りょく」と読めてしまうのが不思議です。

ついでに、メディアリテラシーの中身も、批判とか正しさの吟味だとか、クリティカルな判断なんてわけわからんことというよりも、おもしろさとわかりやすさに重点を

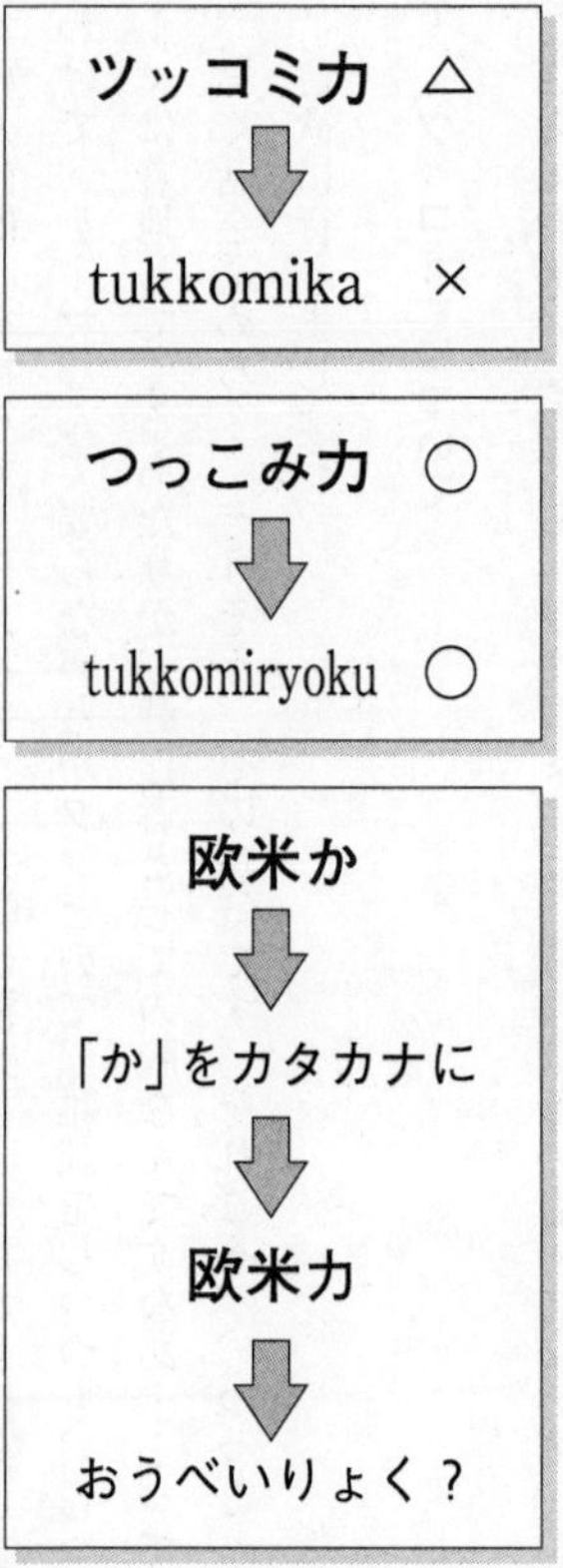

置き、多くの人に関心を持ってもらえるよう、大幅に検討し直すことも提案します。

というわけで、テーマなんて要らないとかフッといて、雑談をしつつも、しっかり本来のテーマに着地してくるあたりが、戯作者としての腕なんですなあ……って、やかましい、早く話を進めろ？　そうそう、その意気です。それこそが、つっこみ力の精神です。貪欲に行きましょう。

ところで、「ツッコミ」について

さて、ここらでお笑いにおける「ツッコミ」という言葉そのものについて、お話しいたしましょう。

いまや、関西以外の全国区でも、あたりまえのように使っている言葉なんですが、じつは「ボケ」と「ツッコミ」という言葉の組み合わせがいつごろから定着したのかは、定かでありません。言葉自体の歴史としては、思いのほか浅いようなのです。

ボケ役とツッコミ役、二人による掛け合いという形式そのものは、古くからあります。現在広く行われている漫才の起源は、太夫と才蔵の掛け合い形式による三河万歳という大衆芸能です。これは江戸時代ごろの発祥だそうです。私は実際には目にしたことがありませんけど、正月になると家々をまわり歩いてめでたい正月気分を盛り上げるもので、いわゆるいまの漫才とは、かなり毛色が違います。

小島貞二さんの『漫才世相史』には、大正時代に使われていた漫才の練習用台本が掲載されています。それを読むと、すでにこの時期、現在の漫才とほぼ同じ掛け合いの形式が完成されていたことがわかります。ただし、大正時代には漫才とは似て非なる「軽口」って掛け合いがあったそうで、この辺の違いは資料だけでは、なかなか実感できません。

昭和初期にはエンタツ・アチャコなどが出てきて漫才が完成するのですが、毎年正月になると三河万歳も東京あたりの住宅街にやってきたそうですから、そのころまでは新旧ふたつのマンザイが共存していたのでしょう。

三河万歳では、太夫がツッコミ、才蔵がボケに当たるのですが、織田正吉さんによれば、太夫と才蔵の関係をあらわす正式な名称は、「シン」と「ボケ」だったそうです。でも、べつの本では、ボケ役の才蔵には「ぴん」という名称もあったとされていまして、もう、調べれば調べるほどわかんなくなってくる。

では、「ツッコミ」という呼び名は、いつあらわれたのでしょうか。相羽秋夫さんの『漫才入門百科』が、ひとつの手がかりをくれます。相羽さんは、昭和三五年発行の『寄席楽屋事典』には、ボケは漫才の役名として明記されているが、「ツッコミ」には漫才と関係のない説明がついていると指摘しています。三五年にはまだツッコミという言葉は、芸能関係者の間でもあまり浸透していなかったようです。

私も『日本国語大辞典』で確認してみました。この辞典には、わかっているかぎりで、その言葉が使われているもっとも古い文献が記されています。すべての文献を調査するのは不可能なので、絶対最古という保証はありませんが、言葉の由来や履歴を知る上で、かなり役に立ちます。

お笑い用語としての「ボケ」の用例で一番古いのは、昭和二三年の古川緑波『苦笑風呂』。「ツッコミ」のほうは、藤本義一さんの『男の遠吠え』で、昭和四九年の発行。たしかに、ツッコミは、ボケよりかなり遅れて世に出たことがわかります。

『男の遠吠え』には、「ボケとツッコミ」という、そのものズバリのタイトルを冠したコラムが収録されていて、男女関係を漫才の二役にたとえています。これはもともと新聞連載のコラムとして書かれたものなので、昭和四八年ごろには、ツッコミという言葉が、一般大衆にも違和感のないくらいに広まっていたことがわかります。

昭和四一年発行の『上方演芸辞典』には、「突込み」に対して、漫才で太夫役、との説明がありますので、こういったことをすべて考え合わせますと、やはり「ツッコミ」は昭和四〇年代に広まった比較的新しい言葉なのだろうと、推測できます。

お笑いはランクが低いか

つっこみというお笑いの形式は、おそらく日本独自のものだと思われます。日本の漫才や落語に関する文献は山ほどありますが、海外の笑いについての研究をしている人は少ないようで、参考となりそうな文献もほとんど見当たりません。

ここ数年、笑い学なんてのが一部で盛り上がりを見せてますので、そのうち誰かがやってくれるでしょう――と人任せにしとかないと、おまえがやれ、とかいわれそうなので。

ところで、この笑い学というのは、文学とか心理学、社会学畑の人たちが集まってやってるようなんですけど、ちょっとまじめすぎるキライがあるんですよ。なにしろ、笑い学の本を読んでも、ちっとも笑えないってのは、致命傷のような気もします。

せっかく笑い学を名乗るなら、論文であっても五ページに一回はギャグかダジャレを入れようとか、ルールを決めればいいのにね。それくらいのシャレごころもないようだと、なんか笑えない方向へ転がってしまいそうです。

げんにそういう空気は一部にありまして、以前『ＮＥＷＳ23』で筑紫哲也さんと三谷幸喜さんが対談した際のこと。筑紫さんが笑い学の話題に触れたところ、三谷さんは、お笑いと笑いは違う、笑いを研究するなどという思い上がった人たちとは、自分はご一緒したくない、みたいな発言をしたそうです。

私はこのときの放送を見ていないのですが、これがどうも、笑い学会に所属するある学者の逆鱗《げきりん》に触れたようでして、その怒りをコラムで爆発させてらっしゃるのです。笑い学会にもお笑いを理解している人はいるし、お笑い人間になりきれない学者にだってできる研究はある、お笑いになれなくても卑下する必要はない、と大変な剣幕です。

そうやってお怒りになること自体、やっぱり心のどこかで、お笑いは社会的ランクの低いもの、学問は高尚なもの、とみなしている証拠なわけで、だから私には、三谷さんが思い上がりというキツい言葉をポロッと漏らしてしまったのもわかるんですよ。笑いを分析するのと、実際に笑わせる台本や作品を作るのとでは、使う労力は比べものにならないくらいに違うんです。

ユーモアとギャグ

論文ってのは基本的に、たし算による積み上げです。丹念に調べて材料を集め、積み上げればいいので、まあ、極端な話、創造性のカケラもない退屈なまじめ人間でも、努力することで立派な論文をものすることができます。

笑いを作る方法論は根本的に異なります。笑いはたし算ではできません。ただまじめにまっすぐ積み上げても、笑いは生まれません。積み上げた材料をいったん崩して、ねじ曲げて、あるべきものをはずしたり、余分なものをあえて入れ、また積み上げて、しかも崩れそうでいて一本芯は通っている、そんな超絶技巧を要求されます。

学問は秀才の業《わざ》、お笑いは異才・奇才の業なのです。必要とされる資質は、まったく異なるのです。

あるいは、ユーモアは秀才の業、ギャグは異才・奇才の業、といい換えてもいいでしょう。

どういうわけか、少なからぬ秀才のみなさんは、ご自分に笑いのセンスがあり、笑わせる文章を書けるとカン違いしているんですね。でも、たいていは言葉尻でおどけてるだけか、だれかのフレーズを借りてきてるだけで、オリジナリティーのあるギャグにはなってません。せいぜい、ユーモアどまりなんです。ユーモアとギャグはまったくの別物です。

ユーモアは、楽しそうな空気を醸し出すだけでいいのです。爆笑も引き起こさないけど、すべって恥をかくおそれもありません。つまらない、笑えないといわれても、「べつに爆笑させようとは思ってないから。私のはお笑いでなくユーモアだから」と逃げをうつことができますし、あろうことか、おまえはユーモアを解さないヤツだ、と自分のつまらなさを棚に上げて、相手に責任転嫁する人すらいます。ユーモアは自分が傷つくことのない、安全パイなんです。

一方、ギャグは客を笑わせられるかどうかの真剣勝負です。しかも、使い古されたネタでは笑ってもらえないので、つねになんらかの独創性が必要とされます。それが証拠に、「それ、だれそれのギャグのパクリじゃん」と非難されることはあっても、「それ、だれそれのユーモアのパクリじゃん」とはいわれませんよね。ユーモアは、誰かのマネや使い回しでも許されるんです。

ギャグの場合、マネは評価を落とします。だから独創性を要求されますが、独創性ってのは、いままでにないものを世に問うことですから、すべる危険といつも隣り合わせです。つまらない、笑えない、といわれたら、「そうですか、もっと勉強します」と引き下がるしかありません。ユーモアのような安易な逃げが効きません。ギャグは自己責任を伴った、ハイリスク・ハイリターンの賭なのです。

でもまた、出版社もいけませんよね。学者や評論家がほんのちょっとおどけた文章を書くと、たいしておもしろくもないのに、本の帯に、「抱腹絶倒」「爆笑必至」みたいなコピーを書いて宣伝するんです。そういう本で笑えたためしがありません。すべるリスクを冒さずに笑いを取ろうとする連中を甘やかしすぎです。

笑いの分析は可能か

お笑いの機微やキビシさをわからずに、学術的な観点から分析をしただけで、笑いの神髄を見極めたかのような素振りを見せる人があらわれれば、笑いを作っている人たちに、思い上がりとそしられるのも当然です。

木村洋二さんが『社会学事典』の「笑い」の項に書いている、「笑う人の数ほど理論があるが見るべきものは少ない」という意見、これなんか、かなり的を射てると思います。個々の笑いを分析・分類することはできても、すべての笑いの統一理論ってのは存在しないのです。

古今東西、有名無名の学者たちが笑いの分析に挑みましたが、いまだ完璧にその仕組みを解き明かした人はいません。おそらく永久に不可能でしょう。そこが笑いの奥深さですし、おもしろさだし、笑いのコワさでもあるのです。既存の常識や、おりこうさんの学者が作り上げた鉄壁の理論にさえも、くさびを打ち込めるのが、笑いの底力です。

だから学者は、笑われることを極度に恐れるのです。シロウトに茶化されて自尊心が傷つけられるのを警戒するあまり、学問の門を閉ざし、一般人のわからない言葉で本を書いて予防線をはるのです。

ただ、三谷批判をした学者さんのコラムも、つまらなくはないということを、公平を期すために申し上げておきましょう。「くりぃむしちゅーよ、変な司会稼業は命取りだぞ」と、とても高いところからありがたいアドバイスをしてくれたりもしますし、お歳を召して耳が遠いのか、レギュラーのあるある探検隊のフレーズを、「ハイ、ハイ、ハイハイハイ、ハナサケタイ」としか聞こえないといい張ります。お孫さんに違うと指摘されてもなお、いい張るあたり、なかなかのお笑いのセンスをお持ちなので、いいところを伸ばしていけば、もっとよくなるはずです。これからも頑張ってください。

つっこみを待つ

えーと、なんの話をしてたんでしたっけ？　ああ、つっこみは日本独自のお笑いの仕組みだという話でした。

鶴見俊輔さんは『太夫才蔵伝』で「パンチとジュディー」というお笑い人形劇を紹介しています。これは一八から一九世紀にイギリスで人気のあった二体の人形による掛け合いだそうですが、基本的にジョークネタの応酬であって、つっこみ的な要素はないようです。

道化の研究で有名な山口昌男さんは、欧米のサーカスで伝統的に行われている道化のやりとりにも、ボケとツッコミの型が見られるといいます。むさ苦しさが特徴である「オーギュスト」と呼ばれる道化がボケ役、スマートさを身上とする「白っ面」がつっこみ役なのだそうです。ただ、形の上ではたしかに漫才らしきものになってますけど、日本式のつっこみと比べると、やはりどこか異質な感じは否めません。アメリカで主流のお笑いは、スタンダップ・コメディと呼ばれる漫談です。コメディアンがジョークをしゃべり、客が笑うだけ。なんでやねん、みたいなつっこみを入れる役の人は存在しません。

スタンダップ・コメディ以外の笑いだと、テレビのコント――シットコムみたいなのになってしまいます。こちらにもつっこみらしいつっこみは、あまりないような気がします。ぼけたセリフに対し、相手の役者が「なんでだよ」とかいいません。漫談にしろコントにしろ、基本的にボケっぱなし。ボケを観客が受け止め、笑って――もしくはすべって、完結するのが、洋風のお笑いです。つっこみは、たとえあったにしても、客の心の中だけにとどまり、おもてには出てきません。

一方、日本の漫才にはボケとツッコミがいます。ボケ役がおもしろいボケをかませば、それだけでも笑えるはずなのですが、そこにあえて、つっこみという、ワンクッションをおくわけです。いわば、客の心の中に生じたつっこみを、つっこみ役が観客代表として代弁した時点で、初めて笑いが起きるのです。

欧米の観客が、ボケを感知した瞬間に笑ってしまうのに対し、日本の観客は、ボケを感知しても、すぐさまつっこみ役がつっこむのを知っているので、あえて、一瞬だけ待って、つっこみのセリフとともに笑うという、これが日本人独特の笑いのタイミング。

漫才の古典的名作である、エンタツ・アチャコの『お笑い早慶戦』。その中の一節にこんなのがあります。

「球はグングン伸びてます」
「伸びてます、伸びてます」
「伸びてます、伸びてます」
「来年まで伸びます」
「何でやねんな」

これをそのまま英語にするのは困難かもしれませんが、できると仮定しまして、アメリカ的な感性でコメディドラマの中の会話としてリメイクしたら、たぶん「来年まで伸びます」で切ってしまうでしょう。「来年まで伸びます」のセリフを聞いた相手の役者は、せいぜい妙な顔をして相手を見るくらいのリアクションで、そこで視聴者も笑う、と、そんな感じかと。日本だったら、ドラマの一場面であっても、たぶん「何でやねん」もしくは「伸びねえよ」みたいな一言が発せられるはずです。

増幅装置として

ツッコミには、「はい、いまボケましたよ」と、ボケたことをわかりやすくする効果もあります。アメリカの漫談の場合は、客がつねに、いまのセリフがジョークであったかどうかを判断しなければならないので、笑いに対する感覚が鈍いとオチに気づかないおそれがありますが、日本の漫才は、つっこみ役が親切に笑うポイントを教えてくれるのです。

……なんてことをいいますと、なんだか、日本人は笑いの感覚が鈍いとおとしめているかのように聞こえるかもしれませんが、そうではありません。つっこみのもうひとつの効用――むしろこちらのほうが重要なのですが――それは、ボケの笑いを盛り上げる役目です。こちらの仕組みを考えれば、日本人が高度なお笑い感覚を有していることがわかります。

ボケだけでもおもしろいのに、そこにあえてつっこみを入れて、さらに場を盛り上げる。これがつっこみの効用です。アメリカのスタンダップ・コメディが笑えるかどうかは、演者のボケのうまさやジョークのキレにすべてがかかっていますが、日本の漫才では、ボケのおもしろさが七〇点であっても、ツッコミがうまければ、それを九〇点の笑いに引き上げることができるのです。いえ、極端な話、シロウトのまったくつまんない話、おもしろさでいえば〇点のボケでさえ、腕のいいツッコミ芸人が、思わぬ方向からツッコミを入れることによって、一〇〇点の笑いにすることも可能です。日本の観客は、つっこみという形式が生み出す、お笑いインフレーションともお笑い錬金術ともいえるこの仕組みを呑み込んでいるからこそ、あえてボケの部分で笑わず、一瞬先にやってくるはずのつっこみを待ち、つっこみによって増幅された笑いのビッグウエーブに乗ろうとするのです。

さて、このへんでツッコミの効用をまとめておきましょう。わかりやすさを高める。そして、笑いの付加価値を創出して相手の興味を惹きつける。この二点を応用することが、つっこみ力のカギとなります。

批判ではいけないのか

つっこみ力なんて新しい概念をひねり出さなくても、普通に批判すればいいじゃん、批判力でいいじゃない、と水を差すかたもいることでしょう。段取り力も読書力もコメント力もあるじゃん、って、あんたどれだけ齋藤孝さんの本読んでんですか。

論理力こそが大事だろ、という御意見も根強いし、私もたしかにそれはある程度は必要だと思います。でも、論理力って秀才の自己満足に終わってることが多くて、現実には意外と使えないものなんですね。

その証拠に、批判力や論理力やメディアリテラシーが、勝ったためしがないんです。

古くは、血液型性格診断とか、日本人の脳は虫の声を心地よく感じるが、西洋人には騒音にしか聞こえないという有名な理論がありますね。両方とも本が売れたことで広まった理論なのですが、その後の研究で、どちらもその科学的根拠に対する疑問の声が高まっています。まあ、なかには肯定派学者もいますけど、メディアリテラシーの観点から検討すれば、ほころびの多い、危うい理論だと思えるはずです。

そうそう、日本人は高温多湿だから日本人はガマン強く、イタリアはカラッとしてるから怠け者なんてイメージが定着したのも、和辻哲郎の『風土』という戦前のベストセラーがもとになってるようなんです。でも、いま読み返しますと、和辻が世界を旅して感じたことをまとめたエッセイにすぎないことがわかります。

実際、ちゃんと実験した人がいるんです。日本人と白人とで、暑さへの適応度や、暑い中での作業効率がどのくらい違うかを科学的に検証したら、変わらなかったそうです。

でも、現実にはどうですか。血液型診断も虫の声の話も、いまだ多くの人に支持され、生き残っています。国民性や県民性が気候で決まるという説も、なかば常識化しています。

五、六年前には、「買ってはいけない論争」というのが巻き起こりました。ああ、あったあった、とうなずいてるお客さんがいますけど、あれも、もうすでに懐かしい話になってしまいました。

さまざまな食品や化粧品などに含まれる添加物の有害性を指摘した『買ってはいけない』という本がベストセラーになりまして、一方で、その本の科学的根拠に疑問を持った人たちによる反論本が何冊も出版されました。

この問題は、結局はどの程度の量を危険とみなすかという、基準をめぐる争いになってしまうので、どちらにも一理あって、白黒つけるのが難しいんです。ただ、全体としてメディアリテラシー的な姿勢が濃厚だったのは、批判本のほうでしょう。しかし、これまた結果は明白で、批判本が束になってかかっても、『買ってはいけない』を上回る部数を売ることはできませんでした。

いま、ちまたではモーツァルトブーム。聴くだけで肩こり・腰痛・難聴まで治って、心のケアにもなると、大変な評判です。モーツァルトの音楽を誰よりもたくさん耳にしていたはずのモーツァルト本人が、病弱で変人だったという事実は、クラシックファンなら、だれでもご存じですが、ブームに水を差さないように黙っているあたりが、みなさん、オトナです。

音楽を愉しむことより、御利益《ごりやく》を求めてるんですから、モーツァルトだか、とげ抜き地蔵だかわかりゃしませんが、少なくとも音楽聴くことは害にはなりません。

ついでに、モーツァルトは胎教にいいという有名な説があります。じつはあれも、害もないけど効果もないことがわかっています。なにしろ、お腹の中の赤ちゃんには、音楽はまったく聞こえていないことが、実験によって証明されてしまったんです。

ところが、世の中広いんです。お腹の中の赤ちゃんは羊水に浸かっている。これはイルカと同じ状態だ。だから胎児はイルカと同様に、人間のオトナには聞こえない音まで聞きとっているはずだ、という奇跡の三段論法で反論している人がいました。なんという打たれ強さ！　メディアリテラシーも論理も科学も、またもや敗北を喫したのです。

その後も事例には、こと欠きません。父性の重要性、パラサイトシングル、ゲーム脳、ニート、非言語コミュニケーション、格差など、さまざまな本がベストセラーの階段を駆け上り、著者と出版社と書店に多大な福音をもたらしましたが、どれもその論理や検証方法に対しては、少なからぬ疑問や批判の声が寄せられています。もちろんその声には、売れたことへのヤッカミからくる重箱の隅突きも、かなり混じっておりますが、論理力やメディアリテラシーを使って冷静に検討すると、どれも批判のほうに軍配を上げざるをえません。

つまらないんだもん

では、仮にあなたが論理力・批判力・メディアリテラシーを総動員して、ベストセラーを批判する内容の本を出版したとしましょう。それが売れる確率？　ほぼゼロです。

ベストセラーにダマされている世の中の人たちが、ワタクシの明晰で論理的な批判によって目を覚まし、次々に賛同の輪が広がり、ワタクシも知的文化人の仲間入り、ああ、『徹子の部屋』に呼ばれたら、なにを着ていこうかしら……なんてことには決してなりません。目を覚まさなければいけないのは、あなたのほうです。

じつのところ、その手の本はたまに出版されているのですが、みなさん、ご存じないでしょ？　ほら、あなただって批判本なんか買ってない、読んでない、興味がない、だから本屋も仕入れないわけで、自分の書く本だけが例外になれると思ってるとしたら、自意識過剰です。だいたい、それくらいの筆力があれば、あなたはとっくの昔に売れっ子ライターになってるはずなんです。

［舞台袖より、ボロボロになったガウンを着て王冠をかぶった中年男性、登場］

「コラコラ、そこのお若いの、売り上げだけが正義ではありませぬぞ。売れる本が良い本とはかぎらないのだ。良い本が売れないことは、世の習いである」

良識派ナイスミドルのみなさんは、あのようにご忠告してくださります。正論です。

私も、人知れず図書館の書庫で眠るB級本を愛好するひとりとして、お気持ち、お察しいたします。

しかし、どんなに論理的に正しい批判だろうが、正論だろうが、一人でも多くの人に伝わり、納得してもらわないことには、なんの力も持たないのも真理です。それがキビシい現実です。いましばらく、あの紳士の心の叫びに耳を傾けてみましょう。

「ワシが書く本は、つねに、真実へと到る論理で貫かれている。かくのごとく優れた本なのに、なぜ、ああ、なぜ、初版がたったの一五〇〇部なのだ。なぜ朝日新聞の書評欄は取り上げない。奴らの目はフシ穴か。アマゾンの売り上げランキングを見たら、気が遠くなりかけた。本で三五万五〇〇位だと？　なんだその天文学的な順位は！　風よ吹け、雨よ降れ、ああ天の神々よ、ワシの本を買わない不埒な下郎どもの頭上に、裁きの雷《いかずち》を落としたまえ！」

［苦悶の表情のまま、よろめきながら舞台袖へと消える］

はい、ありがとうございました。西落合シェークスピア同好会のかたに、おいでいただきました。普段はスナックのマスターをされているそうです。

［中年男性、再び顔を出す］

「ねえねえ」

なんですか。

「シェークスピアの生まれた年と死んだ年のおぼえかた、知ってる？」

いえ、知りません。

「一五六四生まれで一六一六年に死んだから、「人殺しいろいろ」と語呂合わせにすると、おぼえやすいよ」

その豆知識、どういう場面で使えばいいんですか。

いい本が売れないことは世の習いだとか、正しい意見が必ずしも受け容れられるわけではない、とかいいつつも、自分の書いた本の売り上げが気にならない人はおりません。タテマエは捨てて、ホンネと向かい合いましょうよ。パンツ脱ぎましょうよ。みなさんだって、論理の正しさに殉じて死ぬ覚悟はないでしょう。にんげんだもの、他人にウケて名声を得たいはずですよ。

ひとつ、私からもご忠告させていただいてよろしいですか。なぜ本が売れないのか。それは、つまらないからです。人は正しさだけでは興味を持ってくれません。人はその正しさをおもしろいと感じたときにのみ、反応してくれるのです。本当に重要なのは正しさではありません。付加価値であるおもしろさのほうなんです。正しいと思ったことを、いかにおもしろく伝えられるかが重要なのに、識者も学者も教育者も、それをあまりにも軽視しています。大衆に媚びる必要はありませんが、ウケを狙いにいくことは、大切です。

「正しさ」にこだわり続けるかぎり、論理力もメディアリテラシーも、つねに敗れ去る運命にあるのです。いままでも、これからも。

減点するより付加価値を

批判も論理もメディアリテラシーも、みんな「正しさ」を軸に回っています。

はたして、正しさとはなにか。単純な例からお話しします。世の中には間違い探しマニアがいて、テレビでフリップや字幕の文字が間違ってると、すぐにテレビ局の電話が鳴るそうですね。テレビ局の人は立場上、「ご指摘、まことにありがとうございます」とかお礼をいうでしょうけど、内心では、「どうでもいいことでわざわざ電話してくんじゃねえよ、ヒマ人め」と蔑《さげす》んでいるに違いありません。あなただって、電話を受ける立場になったら、きっとそう思うはずです。

理屈で考えれば、正しさを教えてあげたのに迷惑がられるなんて、納得できませんよね。いえ、それどころか、場合によっては、揚げ足取りだなどと悪者扱いされてしまうことすらあります。理不尽です。他人の誤字を指摘してる人も、自分が指摘される立場になると、うるせえなあ、いいじゃねえかよって思うもんなんです。べつにそれは異常ではなくて、だれにでもあることです。人間ってのは理不尽な生き物です。

もちろん、それが重大な間違いで、ほっとくと大変なことになるというのなら、指摘してあげるのが世のため人のためというものでしょう。たとえば、テレビで毒キノコを食用と紹介していた場合とか。

あるいは、笑える間違いなら、みんなと分かち合うのも一興です。たとえば、私はあるお笑い関係の本を読んでいて、東京の芸人一覧表のページに、

ざあーます（前名バカルディ）

という誤植をみつけ、思わず、また改名したのかよ！　とつっこんでしまいました。友人・知人にも教えてあげました。木版が活字になり、ＤＴＰにまで進化してもなお、誤植が地球上から消えたためしがありません。とはいえ、このくらい強烈な誤植なら、他人に教えたくなる気持ちも、おわかりいただけるかと思います。

いまあげた二つの例は、間違いを指摘することで、誰かの命を救ったり、笑いをお裾分けしたりといった、いわば、なんらかの付加価値を生んでいるのです。

誤字脱字やいい間違いを指摘することで相手に嫌われるというのは、それが批判力を使っているからです。批判力による評価が相手や周囲を不快にするのは、それが減点法に基づいているからです。

批判力と減点法を用いた評価では、完璧に正しい状態が一〇〇点満点で、間違いがあるごとに減点されます。一〇〇点満点を越えたところにこそ、付加価値というものが生まれて世の中がおもしろくなっていくのに、批判力は永久に付加価値を生みません。メディアリテラシーも同様です。

そこで、つっこみ力の出番です。

あなたが何か間違いに気づいたとします。しかし、すぐ訂正するのは、ヤボの骨頂です。こんなとき、お笑い芸人だったらどうするか、考えてみてください。ひとつ。芸人場を盛り上げられるかどうか。ふたつ。それが自分にとっておいしいかどうか。芸人が行動を起こすかどうかの判断基準は、この二点にかかっています。

間違いにこの角度からつっこめばおもしろいな、と判断すれば、即座につっこみます。しかし、それが笑いの付加価値を得られるほどの間違いではないな、と判断したら、あるいは、笑いをもたらすほどのうまいつっこみかたを思いつかない場合、訂正はせずに、その場は流すのがいいでしょう。

つっこみにはタイミングというものがありますので、実際には瞬時の判断を求められます。一瞬の判断を誤れば、すべる可能性もあります。そのへんはつっこみの腕にかかってますから、精進していただくしかありませんが、たとえすべった場合でも、自分が恥をかくことで、自分が積極的に道化になって恥をかぶることで、相手や周囲への不快感を最小限にとどめることができるのです。

つっこみ力は、場を盛り上げようというサービス精神と、自己犠牲の精神が息づいている点で、批判や批評、メディアリテラシーとは一線を画します。

批判力が不愉快がられるのは、相手を責めるだけで、自分はつねに無傷でいようとするからです。これは批評も同じで、批評家ってのは自分は傷つかない場所にいて、他人の作品にケチをつけてばかりいるから、イヤミなんです。映画監督や作家が批評家に向かって、そんなにいうなら、おまえが作ってみろよ！　とブチキレることがありますけど、そういわれると、批評家は口をつぐむしかありません。実際、才能がないのか、やる気がないのか、批評家から監督になった人って、ほとんどいませんよね。日本人だと水野晴郎さんがその代表というのが、いろんな意味で凄いことです。

ドキュメンタリーといいますと、真実を報道するもの、なんてお思いのかたも少なくないはずですが、それは間違いです。やっかいなことに、世の中には正しさがいくつもありまして、ドキュメンタリーはそのうちのひとつを見せているにすぎません。

それは作り手の側も、きちんとわきまえてます。ドキュメンタリー映画の監督、佐藤真さんは、以前テレビ番組で、ドキュメンタリーはフィクションだ、と断言してました。使う素材は全部現実だけど、それを再構成した段階で、現実とは違う何物かになってしまうものだ、とのことでした。

私は学問も同じだと思いますね。使ってるデータなどの素材は事実でも、それを取捨選択して分析した結論は、すでに純粋な事実ではなく、その学者がアタマの中で考えた現実になってしまうんです。学問もフィクションなんです。学問の正しさには限界があるんだから、おもしろさをもっと重視していいんです。

民主主義とはおもしろさのことである

社会問題における正しさとなるとどうですか。郵政民営化なんて、正しいか間違ってるかでもめて総選挙にまでなっちゃいました。けど、あれが正しいか間違ってるかは、だれにもわからないんです。実際やってみたって、わかりゃしません。社会問題ってのには、どんなものでも、それによって得する人と損する人が必ずいますから、唯一の正解というものがないんです。得する人は正しいというし、損する人は間違ってるというし、損も得もしない人はどうでもいいと思ってます。

学生運動の闘士だったお父さんには、「どうでもいいってのは無責任だ、キミはノンポリか」なんて叱られそうですが、正直いって、ほとんどの社会問題は、だれも正解を知らないし、正解があるかどうかもわからない。そもそも、そんなの本当に問題なの？ と問いただしたくなることがけっこうある一方で、なんでこんな重大な問題をほったらかしにするの？ と疑問に思うこともしばしばです。

私の見立てでは、たぶんほとんどの日本人は、郵政民営化など、どうでもいいと思っていたはずです。なのに、民営化を強く主張する自民党が選挙で大勝利を収めたのは、なぜでしょうか。

それは、庶民がおもしろさで動いたからです。正しい正しくないとは無関係に、公務員とか公社員みたいな、親方日の丸で身分の保障されている人たちが特権を剝奪され、損をする——かどうかも実際やってみないとわからないし、どうせ割を食うのは下っ端の職員で、上の連中は甘い汁を吸い続けるような気がするんですが——ともあれ、損をするように見えた。それが、おおかたの庶民にとっては、おもしろかったんです。

あのときも、識者なんて人たちが寄ってたかって持論を闘わせていましたが、誰も真剣に耳を傾けようとはしませんでした。正しさをめぐる議論や批判なんてつまらないもんには、一般人は興味がないのです。人は、正しさでは動かないのです。

識者のみなさんはご不満でしょうが、私はそれでいいと思ってます。おもしろさ、大いにけっこう。

ただし、社会問題は正解がわからないからといって、どうせ何やったってムダさ、みたいな虚無的、シニカルな気分に逃げ込んでしまうのは、最悪な態度です。それは、勇気のない人です。

正解がないからこそ、世の中はおもしろいんです。世の中を正しくするのでなく、おもしろくしよう、と考えるべきなのです。なんですか？　おもしろさなんて、人それぞれで決められないじゃないか？　なるほど。

じゃあ、逆にお聞きしますけど、唯一の正解に向かって全国民が突き進むことのほうが、よっぽど危険なんじゃありませんか。歴史はその危険性を証明しているではありませんか。

進む道をひとつに決めなきゃならないにしても、政治的な決断で社会を変えようとする際には、つねに別の可能性や、後戻りする余地を残しておかねばなりません。背水の陣は、決してやってはいけない愚かな作戦です。

正しい社会といいますけどね、なにが正しいかは、結局、政治家や権力者が決めてしまうんです。彼らが自分たちにとって都合のいい正しさを、国民に押しつけているだけのことなんです。

おもしろさは、人それぞれです。ですから、社会をおもしろくするためには、多くの国民の意見に耳を傾けなければなりません。政治家は大変な労力を求められます。でも、それこそが民主主義の精神なわけで、民主主義国家とは、正しい国のことでなく、おもしろい国のことなんです。

勇気の章——権威へのつっこみ

何度もいいますが、発想を変えてみるってのは、大事なことです。クルマの無免許運転で捕まった中学生がおりまして、警察で事情を聞いたところ、自転車で家出をしようと思ったけど、外に出たら寒かったので、クルマにしたというんですね。

これ実話でして、私はテレビのニュースで聞いたんですが、笑いましたね。よっぽどのカタブツでないかぎり、みなさんたいてい、このニュースで笑ってました。

でも、なんでですか？　ホントは危険なことなんで、笑い事ではないはずなのに、やっぱりおかしい。要するにこの中学生は、車の運転には免許がいるという、権威が定めた常識を、「寒いから」というものすごく日常生活的で人間くさい理由によって、いとも簡単にぶち壊してしまったんです。発想を変えるということは、ときとして、権威に対するつっこみになるから、おもしろいんです。

教科書だからって遠慮してはダメ

人間、権威には弱いものです。国家権力なんておおげさなものでなくても、学校の先生や会社の上司のような、ごく身近な権威にすら、並大抵の勇気では刃向かえません。

私が、メディアリテラシーというものに物たりなさをおぼえるようになったのは、ひとつには、その対象がメディアだけだということもあるんです。一方的なイメージや偏った論理を人に植えつけようとするのは、テレビや新聞雑誌などのマスコミだけなんでしょうか。なんか、大事なものを忘れちゃいませんか。

多くの学生が取り上げる疑問というのは、学問的な概念装置を使えば対応できることが少なくない。そして実際のところ、「教員は頭がいい」というイメージをおしつけるには、こうしたやり方が最適である。

――富山英彦『メディア・リテラシーの社会史』

そう、じつは学問というのも、大変な権威なんですが、このように、それを指摘してくれる人は意外と少ないのです。自分たちの学問分野の常識やものの見方を人に押しつけようとする点において、学問はメディアに負けず劣らず――むしろそれ以上に、疑ってかからねばならない権威なんです。

教科書ってのは、学問の世界の権威ある人々が、自分たちが正しいと判断した常識を他人に押しつけている本なんだから、メディアリテラシーが教科書を批判の対象から外していることが多いのは、かなり問題アリといえましょう。

法王よりも聖書の言葉に従えといって宗教改革をしたルターを引き合いに出して、教科書という権威を信じることの重要性を訴えていた日本人がいてビックリしたことがありますけど、そのかたは、イエス・キリストがやった宗教改革が、いわば、ユダヤ教の教科書を否定する行為だったことを、ご存じないようです。

教科書ってのは、一通り学んだら、勇気を持って、捨てるべきものなんです。世の中はつねに移り変わるのですから、教科書という古い権威にしがみついていると、世の中においてけぼりにされて学問が化石になってしまいます。

ああ、そういえば余談ですけど、イエスは、弟子たちに「なぜあなたはたとえ話ばかりするのですか」と訊かれて、おまえたちは私の難しい言葉を理解できるが、世間の人たちは理解できない、だから、たとえ話でわかりやすく教えるのだ、と答えています。イエスは愛と勇気の人だったんですね。ただ、お笑いが欠けてるのだけが残念ですけど。

公平な議論なんてなかなか出来ない

権威ある人たちが押しつけてくる論理がなんかおかしい、なんかヘンだと感じたら、たとえ論理的に反論できなくても、とりあえず、なんかヘンだぞ、と態度で示しておくことが大切です。そうした態度すら見せないと、権威はみんなが納得したものと考えて、ますます増長するのですから。

なんかヘン、という直感は大事にしてくださいね。数々の美術品の鑑定をしてきたトマス・ホーヴィングさんは、一流の鑑定家ほど、直感に頼るといいます。そのほうが科学的分析よりも真贋をいい当てられるそうです。アタマで考えてしまうと、かえってダマされるんです。

権威ってのは、必ず自分を正当化するなんらかの理屈を持ってるんです。で、しかもその理屈をごり押ししてくるだけではないところが、なかなかうまいんです。権威は、おためごかしって手法も心得てまして、代表例としては、植民地政策は支配される側にも恩恵があるのだぞ、なんていいぐさです。どう転んだって、支配する側のほうが莫大な恩恵を受けるのは明らかで、赤字覚悟のボランティアで植民地支配に乗り出すバカはおりません。

植民地政策が表舞台から姿を消した現代では、この理屈はおもに、お母さんが使っています。「お母さん、おまえのためを思って、いってるのよ」。

ですから、権威に正面切って立ち向かうってのは、利口なやりかたとはいえません。潰されたり、お尻を叩かれたりする可能性も高いし、悪者か馬鹿者の汚名を着せられて、世間の支持を得られないこともあります。

ディベートなんてのを中高校生にやらせてる学校もありますけど、あれもどうかなと思うんですよねえ。ディベートってのは、お互いが公平な立場で、同じ土俵に立って議論するというルールを設定してるから、論理力を使ったある種のゲームとして成り立つんであって、ありゃ、ファンタジーなんです。魔法の呪文がハリー・ポッターの小説の中でしか効果がないように、議論もディベート大会の会場でしか役に立ちません。実社会では公平な立場で議論をする機会などないぞ、と釘を刺しておかないと、オトナになってから痛い目に遭うのは生徒のほうです。

ことに、儒教倫理が根深くはびこり、たった一歳違うだけでも先輩、後輩、と呼び合うほど上下関係にうるさい日本では、公平な立場での議論を期待するのは無理でしょう。やはり、他の手段が必要です。

笑いを怖がる人たち

さあ、そこで、つっこみ力の出番です。テレビのトーク番組を思い出してください。大御所の俳優や政治家が天然ぼけコメントをかましても、司会がＮＨＫのアナウンサーだと、そのぼけをいじることが許されません。番組はなんとも不思議な空気を漂わせたまま、続きます。

しかし、司会がお笑い芸人だと、相手が大御所だろうが政治家だろうが、ぼけコメントにつっこみを入れて笑いに変えることができるんです。それによって場を盛り上げますし、つっこまれた俳優や政治家もそこで「茶化すんじゃない！」なんてマジメに怒ってしまったら、イメージダウンにつながりますので、とりあえずニコニコするか、とぼけてやりすごすしかありません。

笑いによるつっこみや風刺は、議論なんかよりよっぽど効果的な武器となります。だからこそ、権力者は笑いを禁じようとするのです。かの聖人君子たる孔子は、お笑い芸人を斬り殺したといわれています。もっとも、このエピソードは、歴史的にみると作り話のようで、孔子はそこまで笑いにキビシくはありません。ただ、孔子の教えをねじ曲げて悪用していた徳川幕府は、笑いや風刺を禁じる傾向にありました。

ヒトラーも、ジョークをいうことは総統や国家への反逆行為であるとして、冗談裁判所を作ったりしていました。やはり権力者は笑いを怖れ、潰そうとするのです。

コメディアンのメル・ブルックスさんは、『プロデューサーズ』というコメディ映画を監督したことで、ブレイクのきっかけをつかみました。最近公開されたリメイクじゃなくて、一九六八年のオリジナルのほうね。これはヒトラーをミュージカルにして徹底的にこきおろした映画なんですが、ブルックスさんはこれに関してこんなことをいってます。

暴君と闘うには、説教や雄弁でなく、嘲《あざけ》りのほうが効果がある。彼らは論争に強いから、討論で勝つことはできない。でも、永久に笑い飛ばすことはできる、と。

周りの人を意識する

立川談志さんは、落語とは、人間の業《ごう》の肯定を前提とする一人芸である、と定義しています。柳家つばめさんは、落語の精神は寛容である、といいました。どんな仕様のないヤツでも、とことん突っ込んで追いつめたりせず、いいかげんのところで許してやるんだ、とのことです。

つっこみは全面攻撃ではなく、笑いによって相手の逃げ道を確保してやってるところも、高度で、かつ、人間味のある手段といえましょう。批判力や論理力をまともに使って攻撃してしまうと、たとえ自分が勝ったとしても、相手の逃げ道まで破壊してしまいかねず、どうしてもカドが立ちます。

そして、権威へつっこむときのコツは、つねに第三者の存在を意識することです。相手の論理をどう打ち負かすかは二の次です。どだい、シロウトが権威や専門家を、知識や理屈で打ち負かすことなどできないんです。

周囲の人を愉しませて巻き込み、あわよくば味方につけるのが、つっこみ力の理想です。論理的に相手を倒せなくても、相手をいじるパフォーマンスを見せることで、

「そういわれりゃあ、なんかヘンだ」という感覚を、多くの人の頭に植えつけることができればいいんです。検察や裁判長でなく、裁判員を説得すればいいってことですね。

そのためには、やはり、わかりやすく伝える愛、そして、お笑いが不可欠です。つっこみ力の三本柱である「愛と勇気とお笑い」の相互作用がいかに重要であるかということです。

家政法経学院大生が書いた経済の教科書

さて、この辺で趣向を変えまして、愛と勇気とお笑いの精神に則って、趣向を凝らしたつっこみを実践してみることにいたしましょう。笑い飛ばすターゲットは、社会科学の中でももっとも権威主義的傾向の強い、経済学にしてみました。海外では、社会学者がしょっちゅう経済学批判をしてますが、日本の社会学者は権威に弱いのか、経済学者の顔色ばかりうかがって、提灯持ちをやってるのが多いんです。

ここでは、単なる間違い探しや重箱の隅突きでなく、おもしろい批判というのがどういうものかを、お見せしましょう。

まずは、生徒役のお二人に登場してもらいます。日本では、初心者向けの入門書といいますと、先生と、男女二人の生徒による会話形式で成り立っているものが定番のようです。

先生役は、私が務めさせていただきます。ただし、入門書の定番ですと、なぜか先生は「なになにじゃよ」みたいな年寄り臭いしゃべりをするのですが、これはあまりに不自然だし、クドいので、普通にしゃべらせてもらいます。

生徒役のほうは、どういうわけか、まじめな優等生の女子と、お調子者でバカな男子の組み合わせとキャラが決まっているようなので、こちらはその組み合わせをご用意しました。

「ちょっと、先生、そりゃないですよ、まるであっしが、うすらバカみたいないい草じゃねえですか」

「あら、だってその通りじゃない」

まあまあ、二人とも、登場早々から熱くならずに、仲良くやろうじゃないですか。

「あっしだって、日頃から、難しい課題に取り組んでいるんですよ」

「どんなことよ?」

「沖縄の男に、腕毛ぼうぼうな人が多いのは、なぜだろうとか」

「なによ、それ、くっだらない！」

「だって、動物は寒い地域に住んでるものほど毛深いのに、人間は暑いところの人ほど毛深いってのは、ヘンじゃねえか」

なるほど。ヘンだなあと思ったときこそ、発想を変えてみるといいですよ。

「そりゃまた、どういうことで？」

人間の場合は、寒さでなく、強い日光から皮膚を守るために腕毛がたくさん生えていると考えたら、どうです？

「そうか、それなら、南に住む人のほうが毛深いことの説明になるってもんだ」

「えーっ、それホントなの？」

さあ。知らない。

「なんだなんだ、でまかせですかい、先生も人が悪いや」

でまかせではないよ。私もけっこう腕毛が濃くて、メタルバンドの腕時計をはめると毛が挟まって痛いんですが、経験上、冬より夏のほうが濃くなることを知ってるので、気温でなく日光が関係してるのではないかと考えただけのことです。

要するに、発想を変えていろいろな可能性を探ることが大切だといってるんです。ひとつの正解にしがみついて、それを他人に押しつけようとするのが、専門家の悪いクセです。シロウトでも発想を変えることで、専門家が思いもつかない真実に気づくこともあるんですから。

たとえば、世間ではよく、経済学は役に立たないという批判がありますね。

「世間どころか、大企業の社長さんでも、そういってる人がいたわ」

「そいつぁ正論だな。経済のことをなんでもわかってるみたいに偉そうなこというんなら、おめえが会社始めてみろよって話でさぁ」

それは考えかたが逆立ちしてるんです。経済学が役に立たないのではなく、社会に出ても役に立たない人が経済学をやってるんです。

「ひっどーい」

「ワハハハハ」

「アハハハハ」

いやいや、これは冗談でなく、まじめな話なんです。労務行政研究所が毎年、社長の報酬を調べています。それによると、二〇〇四年のデータですが、主要企業で社長の平均年収が三一八三万円、中小企業でも二一六八万円となってます。一方、大学教授の平均年収はといいますと、厚生労働省の調べでは、一一七五万円でした。

「大学教授ってやつぁ、いいカネになるんだなあ。けっ、どうりで大学の学費は値上がりする一方だ」

「でも社長さんは、中小企業でも、その倍くらい稼ぐのよ。やっぱ、大学のミスコンで優勝して女子アナになってIT社長と結婚して玉の輿ってのが、理想の人生よねえ」

もし、経済や経営に詳しくてそれを実社会で活用できるという自信があれば、ベンチャーでもいいから起業して、社長になるのが、絶対お得で合理的な選択です。それをしないということは、自分の経済知識が実戦では役に立たないと自覚しているわけですね。だから、結果的に社会に出ても役に立たない人が、経済学をやってるという結論になります。

「なるほど、そう考えると、すっぱりと理屈が通らぁ」

もしくは、研究費などをつまみ食いして、給料とはべつに、毎年一〇〇〇万円ほど懐に入れることが可能なら、社長より大学教授をやるほうがトクだという計算になりますけどね。

これは他ならぬ経済学者がいうところの、インセンティブ理論というものです。人間の行動は、個人的な損得勘定に基づいていて、それによって人間の行動、ひいては社会現象のすべてが説明できるとする考えかたです。

「人間はカネで動くってことですかい。それをいっちゃあ、おしめえよ、って感じもするけどねぇ」

でも、人間の金銭欲というものにスポットライトをあてる試みとしては、おもしろいでしょ？　真実を追究するだとか、社会を良くするだとか偉そうなことをいってる学者や大学教授ですら、じつは個人的な金銭欲で行動しているにすぎないというのですから、こんな痛快な理論はないじゃないですか。

「学者の書く本がわかりにくくて退屈なのは、大学教授の給料が高くて、本をたくさん売って儲けようとするインセンティブが働かないせいかしら」

「ひっでー」

それは真実を突いているかもしれませんね。本が売れなくても生活にはちっとも困らない人には、おもしろい本を書くインセンティブがありませんよね。

「イヒヒヒ」

「オホホホホ」

ところで、あなたたちは、食べ物にケチャップをかけますか。

「なんです、藪から棒に。あんまし使いませんよねえ。オムライスにかけるくらいですかね」

「これだから田舎者は困るわね。ちかごろはオムライスにも、デミグラスソースとか、ホワイトソースがかかってる店が多いのよ」

なるほど。やっぱり、あまり使われてないようですね。

「先生、謎をかけてばっかりいねえで、本題に入っておくんなせえ」

じつはアメリカのFRB議長、日本でいう日銀総裁みたいな地位についてる、バーナンキさんって人がいるんですけど、この人が以前、日銀の政策を批判して「日銀はケチャップでも買え」といったんです。

「相変わらず、デーブ・スペクターのアメリカンジョークは、ツボがわからないわ」

デーブではなく、バーナンキです。要するに、お札をじゃんじゃん刷って、なんでもいいから市中に出回ってるものを買えば、インフレになってデフレから脱却できるだろうという意味でいったんでしょう。

「死ね死ね団みてえな野郎ですね」

「なによ、それ」

「七〇年代にテレビでやってた、『レインボーマン』に出てくる悪の結社だ。そいつらはニセ札を大量にばらまいて、日本をハイパーインフレにして大混乱に陥れたんですよ」

こども向けのヒーローものとは思えない社会派ドラマですね。死ね死ね団は、国家が独占している金融政策を民間でやってしまったわけですね。民間でできることは民間で、という精神を実践したんだから、小泉改革の先駆けみたいな人たちだね。

「ところで、なんでケチャップという比喩にひっかかるんですか?」

「いや、いわれてみりゃあ、たしかに妙ですぜ」

妙でしょう。もし日銀総裁が、アメリカはオタフクソースを買え! と発言したら、なんじゃそりゃ、と、ずっこけますよね。

「おまえは、広島風お好み焼きファンドの回し者かっ!」

「そんなファンド、聞いたことないわよ！」

幼い頃から神童の呼び声も高く、一流大学を首席で卒業したほどの経済学の秀才であるバーナンキさんが、はたして冗談でも、ケチャップ買えなどというものでしょうか。

「そうか、なにか個人的なインセンティブが隠されているってことね！　ワクワクしてきたわ」

そこで、世界の農産物生産事情を調査すべく、国連食糧農業機関・ＦＡＯのデータにあたったところ、意外な事実が浮かび上がりました。

アメリカ合衆国は長らくトマトの生産量において世界第一位を誇ってきました。ところが一九九六年、その座を中国に奪われるという事態に直面したのです。この影響は、当然、日本の輸入トマト市場にもおよびはじめています。

農林水産省のデータによれば、日本に輸入されるトマトは、そのほとんどが加工品です。トマト加工品の筆頭であるトマトピューレ、ペーストでは、現在すでに中国産の製品がアメリカ産を圧倒しています。ケチャップだけはアメリカの特産品として独壇場が続いてますが、日本のケチャップ輸入量は九六年をピークに減少を続け、いまやピークの半分程度になってしまいました。

「ほら、だから、オムライスにもケチャップをかけなくなったって、いったでしょ」

「安っぽいナポリタンがメニューにあるような、昔ながらの喫茶店も減っちまったしなあ」

アメリカのケチャップおよびトマト業界関係者は、危機感を募らせているのです。こうした背景知識を得た上で、いま一度バーナンキさんの発言に立ち戻ってみましょう。なんとなく彼のインセンティブが見える気がしませんか。

バーナンキさんは、アメリカで広大なトマト農場を所有しているとか、ケチャップメーカーとつながりがあるとか、その大株主であるとか、そういったなんらかの関係があるのではないかと疑われて当然です。だって、そうでもなきゃ、日本人にケチャップ買えなどとエキセントリックなことをいう合理的なインセンティブがないんです。

「でも、それをたしかめるわけにはいかないわよねえ」

たしかにこれはなんの根拠もない仮説にすぎません。ですが、もしこれを否定するのなら、バーナンキさんの発言に隠された本当のインセンティブはなんなのか、ケチヤップの購入を勧めることで、どんな個人的利益が期待できるのか、教えていただきたいものです。それができなければ、人間の行動はすべてインセンティブで説明できるという前提が崩れてしまいますよ。

「えー、ご町内のみなさま、長らくご愛顧いただいたインセンティブ理論でございますが、証明が不可能になったため、本日をもちまして、終了させていただきます」

インセンティブ理論の長所は、とてもおもしろい分析ができることです。短所は、その分析が、たまたまうまく説明できた例だけをとりあげている結果論にすぎないということです。

「ちかごろの経済学者は、人はインセンティブに反応する、これで人間の行動や社会現象をすべて説明できる、なんて、お祭り騒ぎしてますけど、やっぱりなんかヘンですよねえ」

本気でそれを信じてるとしたら、その人は、論理とレトリックの違いをわかってないんでしょうね。証明と説明の違い、といってもいいですけど。

心理学者が、人間の行動の裏には必ずなんらかの動機がある、といったらどう思いますか。

「そりゃ、そうだろうなあ、としかいえませんや」

「否定はできないわよね。かといって、だからなんなのよ、って感じだけど」

凶悪犯罪が起こるたびにテレビで心理学者が犯人の動機をもっともらしく分析してるのを見れば、動機なんてものは、ことが起こってから他人がこじつけた概念にすぎないことは明らかです。

無意識の行動なんてものはない、必ず深層心理から発する動機があるんだ、なんていわれても、それはなにかを証明しているわけではなく、説明しているだけのことです。インセンティブも、やってることは一緒です。

「朝起きてから夜寝るまで、いちいち損得を考えて行動してる人なんて、いないわよねえ」

「さて、次は右足を前に出したほうがトクかな、それとも左足かな、って考えながらじゃあ、おちおち散歩もできやしねえ」

結局、なにかが起きてからそれを分析して、損得勘定が働いていたのだ、と都合のいい解釈をしているだけの結果論なんです。「インセンティブですべて説明できる」

というのは、「おまえの行動はすべて深層心理に基づいている」ってのと同じです。「おまえの行動は、こういうインセンティブに基づいていたんだ」といわれたところで、だからなんなのよ、って話です。それは論理ではなく、ごく単純なレトリックです。

「どうしてだれもつっこまないのかしら」

九五年に翻訳されてインセンティブブームの先駆けとなった『ランチタイムの経済学』という本があるのですが、当時、朝日新聞の大阪版の書評では、面白いが、そんなはずないんじゃないか、とさっそくつっこみが入ってますよ。

「へえ、その本、読んでみようかな」

おすすめできません。論理ゲームを感情抜きに楽しめる人ならともかく、感受性の強い人が読むと、経済学者の殺伐とした心象風景ばかりが目について、気分が悪くなりかねませんから。

「それ、あたし、ゼミの課題で読まされました」

どうでした?

「経済学者なんて、みんな死んじゃえばいいのに、って思いました」

「なんか、優等生キャラのあんたが、一番、毒吐いてるんだけど」

「だって、自分の四歳の娘さんが、幼稚園で、資源を大切にするために紙コップを洗って再利用していると知ったら、この著者はなんていったと思う？　時間のほうが大切な資源だから、そんなことをするのはムダだって教えるのよ」

紙コップ洗う時間もないほど忙しい四歳児なんて、いるんでしょうかね。

「お受験のお勉強かしら」

エコロジー教育を押しつけるなという著者の主張はもっともなんですが、その代わりに時間が大切という、ワーカホリックなオトナの価値観をこどもに押しつけるのも、えげつないことですよ。私なんかは逆に、もっと時間をムダにしろ、ゆっくりメシ食え、塾なんか遅刻しろ、と日本のこどもたちに教えたいくらいです。

それにしてもエリートのお子さんは大変です。もしかして、学校でいじめられてることを親にいうと、いじめっ子にはな、おまえをいじめることで得られるなんらかのインセンティブがあるはずだから、それを考えてあげなさい、なんて経済学的思考で諭されたりしてね。

「その子には、親をバットで殴るインセンティブができましたぜ」

「プフフフ」

こどもに殴られそうになった経済学者は、待て、おまえのその行為の機会費用はいくらだ、オレはもっと払うぞ！

「ギャハハハ」

この本が取り上げて有名になった例で、スピードに対するインセンティブの研究があります。エアバッグをクルマにつけると、ドライバーは安心してスピードを出すようになるのでかえって危険だという説で、たしかに目のつけどころはおもしろいんです。でも、その理屈が正しいのなら、自動車保険と生命保険への加入を禁止すれば、みんなビビって安全運転をするはずだから、もっとも効果の上がる安全対策だってことになってしまいますよね。

「ご自分のお嬢さんがクルマを運転する歳になったら、安全のためだから、とエアバッグを取り外して、自動車保険にも加入させないのかしら」

ありえませんよね。むしろ親心としては、自分のかわいい娘は、安全装備の充実したクルマに乗せようとするんじゃないですか。

「ところで、あっしの思い違いだったら、ごめんなさいよ。あっしは酒屋でバイトしてたことがあったんですが、そこでは、インセンティブって、報奨金とか奨励金の意味で使われてましたけどねえ」

「報奨金？」

「あるメーカーのビールを何ケース売ったら、メーカーからいくらもらえる、みたいな」

むしろ小売業界やメーカーにお勤めの一般の人には、そちらの意味のほうがなじみが深いはずです。もうひとつ、日本にインセンティブという言葉を持ち込んで話題になった業界があるんですけど、わかりますか。

「なにかしら」

プロ野球です。一九九四年に日本のプロ野球でも、アメリカにならってインセンティブ契約が導入されました。

「打率三割に乗ったらいくら、とか、年俸にボーナスがつくってやつですね」

簡単にいえば、出来高制、能力給のことですよね。その意味に加えて報奨金の意味もあるし、さらに経済学者は、クルマでスピードを出すのもインセンティブだという。動機やモチベーションなど、みんなインセンティブに含めてしまうんですから、一般人は混乱するばかりです。そこで待ったをかけたのが、国立国語研究所です。

「外来語の定着度調査をしてる人たちね。インセンティブなんて言葉を、どれだけの人が知ってるのかしら」

平成一四年の調査では、インセンティブを聞いたことがある人が二五パーセント、意味がわかると答えたのは一〇パーセントしかいなかったんです。でも、そのうちの何割かは、たぶん報奨金の意味しか知らないと思います。ですから、メディアリテラシーの理解度と、目くそ鼻くそです。そこで国語研究所は、インセンティブを「意欲刺激」といい換えてはどうかと提案しています。

「それもなんだか、お役所言葉みてえだなあ。堅っ苦しくていけねえや」

「それに、なんか日本語としてしっくりこないわ。強引に言葉を並べた感じ」

「首都大学東京、みてえなもんかな。あの奇天烈な学校名も、だれが考えたのやら」

「首都知事石原さんじゃないの？」

メディアリテラシーのときにも説明しましたけど、一般の人が耳にした途端にパッとイメージできない学術用語が、根づいたためしがないんです。私がインセンティブをいい換えるなら、「ムラムラ感」にしますね。

「ムラムラ感⁉」

これなら耳にした瞬間にイメージが湧くでしょ。なんかしたいぞ、やりたいぞ、って意欲が伝わってきませんか。報奨金や出来高制の場合は、ムラムラ金とか、ムラムラボーナスと呼んでもいいですけど。学術用語はクソ真面目な日本語にしなきゃいけないって決めつけてるから、学問がつまらなくなるんです。

「人間は、ムラムラ感に反応して行動する」

「違《ちげ》えねぇや。それなら学のねえ連中も、みんな納得すらぁ」

ムラムラ感としたいのには、わかりやすいことの他にも理由があるんです。報奨金にせよ、能力給にせよ、インセンティブはもともと、「やる気にさせるエサ」みたいな意味で使われていたんです。人間の欲を前向きにとらえて行動をうながそうという概念だったわけで、そういうプラスの意味で使うのなら、私もこの言葉を使うことに賛成です。

ところが、インセンティブの意味がどんどん拡大解釈されてきて、アメとムチの両面で使われるようになりました。それはかなり問題です。あくまでも、アメの意味だけに使うべきです。ムチの意味まで含めたら、趣旨が変わってしまいます。

たとえば、会社の社長がこんなことをいったら、どう思います？　給料をインセンティブ制にすれば、仕事のできる人はより多い報酬を求めて一生懸命働くし、できない人もクビになるのを恐れて一生懸命働く。結果的にだれもが一生懸命に働くようになる。

「いけすかねえ。どこがどうたぁ、いえねぇが、うさんくせえや」

いかにも、理想的に思えますが、現実を見てください。どの業界でも、どの会社でも、本当に仕事ができて結果を出せる人なんて、せいぜい一割くらいしかいないんです。じゃあ、その他の人は努力がたりないのか？　そんなことはありません。みんな努力して人並みの成果を出し、人並みの給料をもらってるんです。それ以上やったら過労死です。そう考えると、インセンティブ報酬をものにできる社員なんて、どれだけいるか疑問です。

しかも、よその会社がもっといいインセンティブを出したら、できる社員はそっちに行ってしまうんですよ。一方で、できない人ほど転職の機会に恵まれないのですから、どうしてもムチのほうにしがみつくしかなくなってきます。

「結局、ほとんどの人は、アメでなくムチのほうに反応して働くことになってしまうのね」

できない社員がサービス残業をしても、それは能力のない社員がクビになるのを恐れて自主的なインセンティブでやったことだ、なにが悪い、と開き直ることもできます。

「それじゃあ、ムラムラ感どころか、イヤイヤ感でさぁ」

インセンティブにムチを含めてしまったら、イヤイヤ感がメインになってしまうことは目に見えてます。奴隷制度も強制労働も、テロだって、すべて正当化できてしまうんです。恐怖のムチで人の行動を操作するのがテロの目的なんですから。

人の能力には個人差がありますし、努力したからといってすべての人が結果を出せるわけではありません。生まれ育った境遇もさまざまです。社長や議員の息子は、たいした努力をしなくても、社長や議員になれる確率が高いことは、みなさんご承知のとおりです。

できる人や権力者の親族がおいしいインセンティブを選べる一方で、できない人には、サービス残業か失業かしか選べないような状態にしておいて、人はインセンティブで動くとのたまわれましても、お笑いぐさですね。

バートランド・ラッセルは、人がどういう選択をするのかを論じるのが経済学で、人にはなぜ選択の余地がないのかを論じるのが社会学だといいました。うまいことをいったもんです。

「経済学って、どこか現実離れした理論や理想を、むりやり現実に当てはめようとするから、経営者や実務家にバカにされるんじゃないかしら」

「経済学てぇのは、こどもの頃からお勉強しか取り柄がなかった連中がたどりついた、数字と論理のパラダイス、ってところじゃねえですかい」

会社単位ですら、全員の満足がいくようなインセンティブを設定するのは至難の業です。それが、公共政策にインセンティブを応用しようとなったら、何百万人の人に影響が出るわけですから、それはいったい、だれのためのインセンティブなのか、ってことが大問題になります。

「一度、権力や勝ち組の座に着いた者には、その座を奪われまいとするインセンティブがはたらくのだから、ヘタすると、権力者に都合のいいインセンティブばかりが幅をきかすってことにも、なりかねないわよね」

インセンティブを重視するといえば、いかにも国民の自主性を尊重してるみたいで聞こえはいいですが、なんのことはない、最終的には法律や税金でなんらかの縛りを設定するわけです。じゃあ、その縛りを決めるのはだれなんだ、といえば、権力を持ったお偉いさんたちですよね。国民投票で決めるわけじゃないんです。

テレビのデジタル化だって、ほとんどの人は望んでやしないのに、いつのまにか勝手に決められちゃったわけで、国民には、テレビをどこのメーカーのに買い換えるかしか、選択の余地はありません。あれいったい、だれがどんなインセンティブで決めたことなんでしょうね。

市場原理に対する人々の疑問は高まる一方です。私は市場原理ってものを全否定するつもりはありませんが、あれ、やっぱりかなりムリがあるんですよ。共産主義だって、理念としては良くても、実際やったらムリがあったわけでしょう。

市場原理を導入して、お金持ちのインセンティブを最優先した結果、国の経済が成長したのに貧困層が増えるという妙な現象が世界各地で起こってますよね。これはつまり、貧乏人のインセンティブが、いかにないがしろにされているかという証拠じゃないですか。そのへんの歪みをどう修正していくのかを具体的に示さずに市場原理を続けたら、イカサマ賭博ですよ。

それよりもっと、私が腹立たしく思うことがあります。シロウトや経済学以外の分野の学者が変わったアイデアを出すと、経済学者は待ってましたとばかりに、「それにどんなインセンティブがあるの？」とかいって、経済理論のおもちゃ箱から都合のいい理論を引っぱり出してきては、新しいアイデアを否定するんです。

イチゴ大福はいまや、和菓子業界でも世間一般でも、その組み合わせが画期的なアイデアとして認められています。でも、発売前は、ほとんどの人がそのアイデアの成功を否定していました。

「そんなまずそうなものにお金を払ってまで食べるインセンティブはない、ってわけね」

ところが、おおかたの予想は見事にはずれたわけですね。インセンティブは結果論だから、予測に使ってもあてにならないのはわかりきってるんですが、まあ、こんなことは現実の商売ではよくあることです。青色発光ダイオードの研究だって、似たようなもんでしょう。やってみなけりゃわからない、ってのが社会の現実です。人間は損得勘定で動くというけれど、それは損するよ、ムダだよ、とだれもが考えて近寄ら

なかったところに、じつは宝が埋まっていたわけです。

ですから私が危惧するのは、「そんなことをするインセンティブなどない」という後ろ向きな経済分析や経済常識のせいで、どれだけの素晴らしいアイデアが闇に葬られ、社会の進歩や、社会をおもしろくしようとするムラムラ感が妨げられているかということです。

「使えねえなあ、インセンティブ」

じつは経済学者のなかにも、まともな感性を持ってる人はいます。あらゆる現象をインセンティブで説明することはできるといっても、それが問題の本質に迫るものだとはかぎらないし、絶対視すれば教条主義に陥るぞ、と警告している人もいるんです。教条主義ってのは要するに原理主義です。信仰です。

ところがここ五、六年に書かれた経済学の教科書や入門書は、判で押したように、インセンティブの重要性と有効性ばかりを強調しています。これでは教科書ではなく、教典です。

インセンティブ理論がはたらいていない例を指摘されると、それはトレードオフだ、人は妥協することもあるのだ、と逃げをうち、インセンティブの有効性を守り抜こうとしてます。でも、これではいわゆるアドホック——その場しのぎの上塗り理論です。

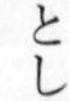「だったら素直に最初から、インセンティブですべて説明できるなんて、大口叩かなきゃいいのに」

そうなんです。インセンティブはもともとは、経済学の地味な一理論でしかなかったし、それでじゅうぶんなのに、急に担ぎ出して、経済学の大黒柱に据えようとしてることにムリがあるんです。

もちろん、学者先生がたも、まるっきりデタラメをいってるわけじゃありませんから、彼らの勧めるインセンティブに従えば、大失敗をやらかすことはないかもしれません。でもね、それであんたの人生、おもしろいんですか。それで満足ですか。合理的な損得勘定に身をまかせてれば、しあわせなんですか。

個人個人の価値観が異なる以上、なにがインセンティブであるかは、それぞれ異なりますし、どのインセンティブを選ぶかも自由です。みんながトクすると考えていたインセンティブに従った結果、失敗することも決して珍しくはありません。

自分がこれだ、と思ったものが、最終的にあなたのインセンティブになるんです。自分を信じるしかないでしょう。その結果、失敗して、経済学者に「おまえはバカだ」と分析されたからって、それがなんだっていうんです。冒険するバカがひとりもいない、すべての人間が計算どおりに合理的に動く世の中なんて、ちっともおもしろくないじゃないですか。

だから、あえてこう、いわせてもらいましょう。

「インセンティブなんて、クソ食らえ！」

まとめ

いま、席にお戻りになったお客さんがいらっしゃいまして……どうも。おかえりなさい。経済学を茶化す話を始めたら席を立たれたので、てっきり経済学者のかたが怒ってお帰りになったのかと思ったんですが……え、トイレ？　あ、そうですね、とりとめのない話とくだらないコントで時間が長引きました。そろそろ、お開きにしないといけません。明日の晩もあることですし……もう来ない？　えーっ、明日のほうが、もっとおもしろいのになあ。明日は短くしますから、ぜひ。

というわけで、つっこみ力のおおまかな概念を、ここらでまとめておきましょう。愛と勇気とお笑い、これがつっこみ力を構成する三大要素です。どれもが、社会と

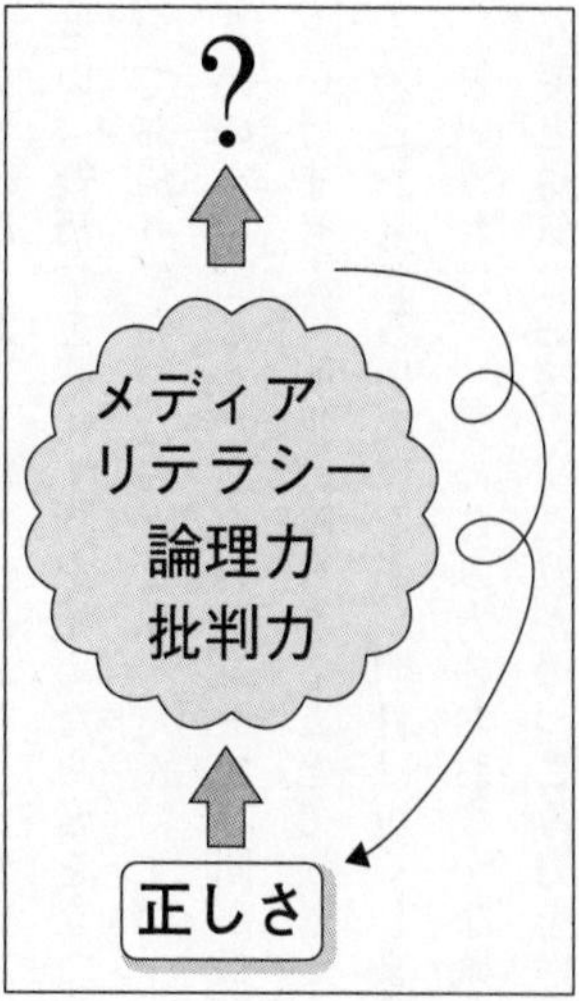

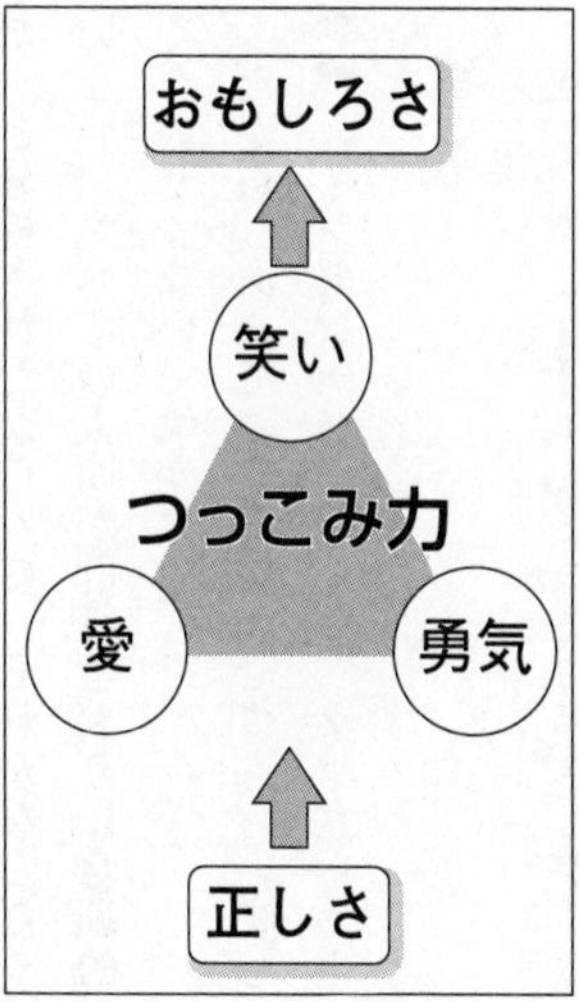

人生をおもしろくするために欠かせない要素です。つっこみ力の目的は、社会と人生をおもしろくすることにあるのです。正しさをおもしろさに変えるのが、つっこみ力の目的です。

これに対して、メディアリテラシーの要素は、論理と批判です。私はずっと疑問に思ってたのですが、メディアリテラシーも論理力も批判力も、その目指すところがわからないのです。正しさから出発して、正しさを証明して、それからいったいどこへ向かうのでしょう。それどころか、正しさから出発してうろうろしてたら、やっぱり元の正しさに帰ってた、なんてことすらあって、これではなんのおもしろみも逸脱も発展もない堂々めぐりです。結果的に、社会や人間を正しさの奴隷にするばかりで、つまらないものにしてしまいます。

つっこみ力で世をおもしろく

ぶっちゃけた話、批判力や論理力をいくら磨いたところで、実社会でその能力を発揮する場所や機会は、ほとんどありません。だって、いいですか、批判力や論理力は、すでに存在するなにかについて、正しいかどうかを検討する能力にすぎないんです。すでに存在するものが論理的に正しいことを証明したとて、「そうだろうね。とっくにわかってたよ」といわれるだけです。ご苦労様です。

逆に、すでに存在するものを、完膚《かんぷ》無きまでに、けちょんけちょんに否定したところで、結果はゼロになるだけです。なにも生みません。ゼロにすることにそんなに価値があるのなら、ゴミを片づけてゼロにするのが仕事である掃除のオバサンに、一〇〇〇万円くらいの年俸を払わなきゃおかしいですね。

メディアリテラシーは、視聴者や消費者に真実を伝えることができます。メディアのウソを教えることができます。しかし、「私は大学でメディアリテラシーを学びました。いまやってる番組や出版物の内容を否定してゼロにする能力なら、誰にも負けません！」とアピールしたところで、雇ってくれるマスコミがどこにありますか。むしろ、残念ながらメディアリテラシーの精神には反しますが、視聴者や消費者を気持ちよくダマす、愉快な番組やCMを作れる能力を持つ人材なら、テレビ業界や広告業界は札束積んで迎えてくれるのです。

マスコミ以外の会社だって同じです。誰かのアイデアを論理的に検討して批判する能力よりも、論理的には破綻していても、カネになりそうな新たなアイデアをひねり出す能力のほうが高く評価されるのは、当然です。

社会が本当に求めているのは、批判力や論理力ではなく、新たな価値を提供する創造力なんです。創造力はいままでにないものを作るのですから、つねに正しいとはかぎりません。すべることを恐れて、論理の正しさばかりを追い求める人は、既存の価値の枠組みから一歩も外に踏み出すことができません。その上、周囲の人から、「あの人、いつも正論ばっかりいってて、つまんないよね」と烙印を押されてしまった日にゃあ、いたたまれないじゃないですか。

いままでにないものといえば、さっき笑いの説明のときいいましたけど、ユーモアでなくギャグでしたね。つまり創造力は、ギャグをいう能力、ぼけの能力です。社会が本当に求めているのは、ぼけ力《りょく》のほうなんです。

じゃあ、やっぱり、つっこみ力なんて必要ねえじゃねえか、とおっしゃられると、私も立場がありません。実際、お笑いの世界でもずいぶん前からツッコミの変容・衰退・消滅が取りざたされているんです。ボケとツッコミという枠組みを崩したのは、やすきよとコント55号といわれておりますが、そうなると、ツッコミという言葉が世に定着した昭和四〇年代には、すでにツッコミの変容は始まっていたわけです。さらに太田省一さんは、八〇年代のマンザイブーム以降、ツッコミは脆弱化し、省略され、ボケに吸収されつつあるといいます。

しかし、だからといって、だれもがぼけ力を鍛えられると思ったら、大間違いです。というのも、ぼけ力・創造力は、天賦の才に負うところが大きいんです。努力すればだれでも身につけられるというものではありません。

血液型診断にせよ、ゲーム脳にせよ、ベストセラー理論を編み出した人たちは、おしなべて、たぐいまれな天然ぼけ力の持ち主です。正しさとか論理に縛られずにボケをかましたら、なぜか勝ち組になってしまったのです。理性と常識にがんじがらめにされた凡人や秀才には、逆立ちしたって滝に打たれたって、そういうアイデアをひねり出すことはできません。

お笑いだってそうです。努力と勉強によって、すぐれたボケになれるという保証はありません。天才・異才・奇才でないと、いいボケにはなれません。しかし、ツッコミなら、凡人や秀才でもなれるのです。

秀才ってのは、暗記力とパターン認識力に優れている人なんです。だから、ペーパーテストが得意だけど、人と違ったことをやれません。資質的には、異才・奇才ではなく、凡人の範疇に属します。秀才ってのは、優れた凡人であり、学者やインテリなどの大部分は、秀才です。つっこみなら、凡人や秀才でも努力すればそこそこのレベルまで到達できるのです。

ただ、つっこみは、批判や否定とは根本的に異なるんだってことをわかっていただくことが、大事です。ボケのいうことを完膚無きまでに否定してしまったら、台無しですよね。つっこみは、ボケの論理の歪みを指摘しつつも、それを否定・批判するのでなく、逆に盛り上げなきゃいけないんです。ボケのおもしろさを世間にアピールしなければなりません。

メディアリテラシーや論理力がなかなか受け入れられないのは、それを使う人たちの態度が間違っているからなんです。そこにあるのは容赦のない否定ばかりで、愛がありません。権威に刃向かう勇気がありません。そしてなにより、笑いがなく、つまらない。

凡人や秀才は、自分ひとりの力でヒーローになろうとしてはいけません。つっこみ力を使って、ボケの盛り立て役に徹すればいいのです。そうすれば、結果的に自分にもスポットライトが当たるんですから。

論理でも、品格でもなく、つっこみ力。

美しい国よりも、おもしろい国にする、つっこみ力。

異才・奇才と秀才が共存できるのが、つっこみ力。

天才・異才・奇才がぼけ力で新たな価値を生み出し、秀才や凡人はつっこみ力でそれを盛り上げ、価値を高めていく。これで社会をおもしろくしていこうではありませんか。

幕間　みんなのハローワーク——職業って、なんだろう

五三歳のハローワーク

「次のかた、こちらへどうぞ」

「ハローワークってとこに初めて来たけど、ずいぶんすいてるんだねえ」

「いえ、いつもはもっと混んでますけど……予想以上に景気が回復してきたってことなのかな……？　ま、それはともかく、失礼ですが、お歳は、と……五三歳ですか。ちょっと、キビシいですね。二〇〇三年の厚生労働省の調査では、年齢制限のある求人の上限は、だいたい四六歳くらいなんです」

「しどい世の中になったもんだねえ、まったく」

「下町のかたですか」

「おうよ。わかるかい」

「干潟でアサリなんかを獲るのを何といいますか」

「ひおしがり。なにこれ、クイズかい？」

「いえ、べつに……事務職・技術職はともかく、管理職に限っていいますと、中途採用されたかたでもっとも多いのが五〇代前半です。キビシいとはいえ、希望はあります。あなたもあきらめず、経験をアピールしてがんばってください。ちなみに以前のご職業は？」

「これだ」

「人差し指で頬をすーっと……ひげそり？　ああ、理髪店にお勤めで？」

「はっはっは。とぼけちゃいけねえや。昔っからこのジェスチャーの職業は、ヤクザだって相場が決まってらぁな」

「あの、大変、申し上げにくいんですが、ヤクザは職業ではありません」

「なんだと、コラ。そらぁたしかに、世間様に顔向けできねえ商売もやってきたが、それで女房とガキにおまんま食わせてる以上、立派な職業じゃねえか」

「いえ、厚生労働省の規定でも、総務省の規定でも、ヤクザは職業とは認められておりません」

「やかましいや。お上がなんといおうが、ヤクザだってオケラだってアメンボだって、みんな生きてるんだ、友だちじゃねえか」

「できれば、お友だちになるのだけは、遠慮させていただきたいかなと……」

「そういや、あんたさっき、管理職なら望みがあるっていったな」

「ええ、まあ」

「そいつぁ好都合だ。おれも管理職だったからな、しとつ、なんか仕事の口を世話してくれや」

「そうおっしゃられましても、おたくさまの場合、特殊なケースですので合致する求人があるかどうか……そうだ、なにか資格をお持ちですか」

「お兄さん、めったなことを口にするもんじゃないぜ」

「は？」

「おれも切った張ったの渡世人よ。シットマンの五人や六人、すぐにも用意できらぁ」

「シットマン……ああ、ヒットマンですよね。シットマンだと、大変な意味になってしまいます」

「どんな意味よ」

「それをいうと、私の身に危害が及ぶおそれがありますので、詳しくは申せませんが、要するに、あなたのおっしゃってるのは刺客《しきゃく》ではないかと」

「何人か刺客《しかく》をお持ちですか、って訊いたのは、あんたじゃねえか」

「だからそれは刺客《しきゃく》でしょ？」

「刺客《しかく》だってのに、わからねえ男だな。シキャクってのは、郵便運んでくるヤツじゃねえか」

「飛脚ね」

「しょうがねえだろ、江戸っ子は「し」になっちまうんだよ。で、だれを消そうってんだ」

「めっそうもない！　あの、いまいちど確認しますけど、ハローワークにいらっしゃったってことは、いわゆるひとつの、カタギの仕事をお探しなんですよね？」

「そうだよ。それで、いらっしゃったんだよ。忘れるとこだった。いや、なにしろな、この不景気で上納金の工面もままならず、組長《おやじ》が、もう潮時だ、組を解散するってんだ。で、若頭のおれが、まず様子見に来たって寸法だ。おれの就職先が決まったら、おもてに待たしてある若ぇ衆《わけ》を呼び入れる」

「えっ。おもてって、ここの？　今日は珍しく求職者が少ないと思ったら、そのせいかよ！」

暴力団員の申告

ヤクザの親分は、所得税の申告用紙の職業欄に「団体役員」と記入すると、劇作家の別役実さんはいいました。子分はどうかといいますと、彼らは所得など申告しないのだろうとのこと。もちろんこれは別役さん流のウイットなのですが、まさかそれを本当に調べたデータがあることまでは、ご存じなかったことでしょう。

いくらなんでも、組事務所に出向いて質問する命知らずの学者はいません。昭和六一年に警察が、全国で検挙された暴力団員九二五名に訊ねた調査です。

これによると組長で所得税を納めているのは三九パーセント、組員ともなるとたったの一五パーセントしか納めていません。ところが住民税や町内会費を払っている率は、これより高くなっています。ヤクザのみなさんは、地域に密着したつきあいを大切にしているようです。

「家族揃ってレクリエーションにでかけることはありますか」というほのぼのした質問に対しては、「ほとんどない」と、殺伐とした回答を寄せた人が六三・六パーセント。なお、所得税申告の際の職業名を問う項目はないので、不明のままです。

セレブって……職業？

そもそも、ヤクザというのは職業なのでしょうか。所得税の申告書の場合、職業名は基本的に自己申告なので、仮にヤクザと記入しても、とりあえず受理はしてもらえるでしょう。ただ、所得税の申告で職業を書くのは、職種によって必要経費の範囲が異なるためなので、職業をヤクザとしてしまうと、必要経費を一切認めてもらえなくなるおそれはあります。

日本での公的な職業分類は二種類あります。総務省の「日本標準職業分類」と、厚生労働省の「職業分類表」です。とはいえ、総務省の分類をもとにして、さらに細かく分けたのが厚労省の職業分類表ですから、この二つは基本的には同じものと考えてよさそうです。総務省は国勢調査の統計処理に使うので、あまり細かいと不便です。厚労省のほうは、雇用行政やハローワークなどの業務に使えるよう、細かくできているわけです。

ヤクザは、このどちらにも含まれておりません。日本標準職業分類での職業の定義は、「個人が継続的に行い、かつ、収入を伴う仕事」とされています。季節ごとの仕事や断続的な仕事でも継続的とみなされるので、ヤクザも当てはまりそうなものですが、残念ながら、法律違反行為は職業とみなさない、という例外規定があるのです。いくら合法的な仕事をしていても収入がなければ、職業とはみなされません。ですから、主婦もこの分類では職業とはされていません。極道の妻なんてのは、どっちに転んでも無職扱いです。

不思議なのは、「家事手伝い」ってのが職業として認められていることです。世間一般の感覚では、家事手伝いといえば、プータロー女が世間体をはばかって隠れ蓑として使う職業名ですよね。主婦がなくて、家事手伝いがあるってのには、違和感が残ります。正式にお給料もらって他人の家の家事をやってる人は、家政婦のはずですが、世の中広いですから、家事手伝いという呼び名もあるのでしょうか。気になります。

気になるといえば、叶姉妹は、国勢調査の調査票に、職業をなんて記入してるんでしょうねえ。セレブってのは、あいにく、日本の職業にはないんですよ。いえ、世界でもあるかどうか知りませんけど、そもそもあの人たちのおもな収入源って、なんなんでしょう。余計なお世話ですけど、気になります。やっぱり、家事手伝いなんですかねえ。

フーテンの寅さんは自分のことをヤクザな兄貴と卑下しますが、あれはテキ屋です。テキ屋は露天商として商品訪問移動販売従事者に分類される、総務省も厚労省も認める立派な職業です。文化史的に見ても、ヤクザとテキ屋はもともとはきちんと区別されていたようですが、どちらも荒っぽい人間が多いことから、ごっちゃにされるようになってしまったようです。ともあれ、寅さんは妹に気兼ねせず、テキ屋だと胸を張ってもよかったんです。

ギャンブルの配当は職業による収入にならないため、パチプロは、プロと名乗ってるにもかかわらず、問答無用で無職扱いにされます。ノミ屋もダフ屋も違法行為なので全滅です。ギャンブル関係で正業に就きたいならば、パチンコの景品買取人か、競馬その他公営ギャンブルの予想屋を目指してください。

ソープ嬢はどうなるんでしょう。国によっては売春は合法ですし、国内総生産・GDPの計算方法を定めたSNAという国際基準でも、売春は生産活動としてちゃんと認められているくらいなんですが、日本では違法です。だから職業表にも存在しません。でも、もしかしたらソープ嬢は、統計上は「浴場従事者」に分類されているのかもしれません。よくじょうって、そっちの意味じゃありませんから、お父さん、ニヤニヤしないように。

そこいくと、社会学は度量が広いですね。社会学の事典で職業の項目をひきますと、たいていは、尾高邦雄さんによる定義が採用されています。生計の維持、個性の発揮、社会的役割の実現、の三つを併せ持つことが職業の条件とされています。違法性は職業倫理の問題として別個に扱いますので、これならヤクザも職業の仲間入りができそうです。

違法なことをしてるから職業とは認めないというのなら、談合やってる会社の社員も、利息制限法を超えたグレーゾーンでお金貸してるサラ金の社員も、全員無職にしなきゃ不公平ですよね。

ヤクザって……職業？

マスコミでのヤクザの職業としての位置づけはどうなっているのでしょうか。数年前のことですが、死体遺棄事件でヤクザが犯人として捕まった事件がありました。そのときにちょっと興味を持ちまして、新聞各紙が犯人の職業をどう伝えたか調べたことがあります。その結果がこちらです。

読売新聞「無職」

朝日新聞「暴力団員で無職」

毎日新聞「暴力団組員」

産経新聞「暴力団組員」

日経新聞「指定暴力団○○会系組員」

NHK―TVニュース「暴力団員」

けっこう、マスコミ各社で扱いに差があるものです。唯一、組の名前まで詳しく報道していたのは、日経です。『実話時代』ではありません。

実話時代とか、ヤクザネタばかり載ってる雑誌が何誌かあるんですけど、読んだことあります？　普段読まない雑誌を読んでみるのも、おもしろいもんですよ。「保釈金立て替えます」なんて、他の雑誌では決してお目にかかれない広告が載ってます。そうかと思えば、読者のお便りとか、星占いなんていう、ありふれたページもあるんです。星占いの内容もごく普通です。牡牛座のあなた、今月は流れ弾に注意、みたいな特殊なアドバイスは一切書いてません。

さて、新聞各紙の扱いですが、おおむね、暴力団員、組員という職業を認めてはいるようですが、読売はきびしいですね。無職、と犯罪集団に対して断固たる態度で臨んでいます。朝日は、暴力団員で無職、と併記しています。暴力団員は職業としては認めないけど、団体の構成員という扱いならオーケーなのでしょう。「日本野鳥の会会員で無職」みたいな。

でも、読売も他の事件の記事では「ヤミ金融業者の無職○○容疑者」という表記がありました。「業者」と書いていながら、違法な商売だとやっぱり無職なのか、と複雑な思いです。それだけ職業という概念があいまいで、これといった統一基準が作れないってことなのかもしれません。

職業と労働

日本人ほど、職業を気にする国民はいないんじゃないかと思います。といいますのも、先ほど職業の定義で紹介した尾高さんは、太平洋戦争の前に職業社会学というものを始めたかたですが、当時、世界的にもそういうジャンルの研究はほとんどなかったといます。たしかに、欧米の社会学では職業という概念はさほど意識されず、労働というとらえかたをしているように思えます。

国際労働機関、ＩＬＯが決めた職業分類があります。昔は日本の総務省の分類もこれに準拠していたのですが、いまは日本独自のものとなっています。たしかに、ＩＬＯの職業分類って、日本人には馴染めないところが多いんです。

ＩＬＯの分類では、ジョブとスキルという概念があるので、ややこしいことになってます。たとえば看護師。日本人の感覚ですと、看護学校を出て試験をパスして、病院で看護師をやって給料もらってれば、専門職ですよね。ところがＩＬＯの基準だと、これでは準専門職なんです。

欧米で看護の専門職というと、大学か大学院の看護学部で教育を受けた者のことを指します。要するにスキルってのは、仕事の熟練度よりも学歴でかなり決まってしまうことが多いんですね。それを職業の分類に持ち込むってのが、たぶん日本人の感覚では、納得いかないんじゃないですか。

日本では、企業が一流大学卒の者しか採用しないというと、学歴偏重だ、と批判されることがありますが、欧米のほうが学歴社会ぶりは徹底してる面もあるんです。だから、アメリカなんて、学歴詐称の本場でして、学校としての実態がないのに卒業資格や博士号だけを売っているディプロマ・ミルという商売が成立するんです。もちろんこれ、違法ですよ。

ブッシュ大統領は教育改革にご執心ですが、その一環として、教師の質を高くすることを目指しています。早い話が、大学院卒の資格がない教師は、給料も安いままだし、ヘタすりゃクビにするぞってことです。ほら、いかにも欧米的な考え方でしょ? 学歴が高い人は絶対に能力が高いってお約束があるんです。ただ、この方針のおかげで、学歴詐称をする教師が増えて、ディプロマ・ミルが繁昌してるってのが、さすが自由経済の国アメリカですね。

投書欄に職業を書く

さて、そんなアメリカの——というか、欧米の新聞がありましたら読者の投書欄をご覧になっていただきたいのです。世界中どこの国の新聞にも、たいてい読者の投書を載せるコーナーがあるはずです——民主主義の国なら、たぶん。私は、何十か国語もわかるほど語学に堪能ではありませんので、すべて確認したわけではありませんが。

日本の新聞では、投書する人の住所・氏名・職業・年齢の四点セットが欠かせません。「東京都 山田太郎 会社員 三五歳」てな情報が必ず載ってます。日本のみなさんはなんの疑問も抱かず受け入れてますが、これは世界の常識ではありません。海外の新聞や雑誌は、投書した人の名前と居住地しか載せません。「ジョン・スミス ニューヨーク」みたいな。もちろん、自己申告があれば、べつですが、たいていは内容に関係のある場合だけです。たとえば、小児科医がこどもの病気に関する投書をする場合とか。

欧米人が「どんな意見を述べるか」を重視するのに対し、日本人は「どんな人が述べているのか」に注目します。こんなところにも職業にこだわる日本人の国民性が表れます。

しかし、日本も戦前は違いました。戦前の朝日新聞には、「鐵箒」という投書欄があったのですが、そこには投書した人の名前しか載ってません。しかも、ペンネームもオーケーだったというおおらかさ。

それがどういうわけか、戦後はガラリと方針を変えまして、住所・氏名・職業明記のこととなりまして、匿名も禁止されました。この方針転換には投書する側にも、とまどいがあったのか、徹底するまで時間がかかっています。昭和三〇年でもまだ、職業名が記載されていない投書が一三通掲載されているくらいですから。

年齢が加わったのは、もう少しあとのことです。昭和三五年三月一〇日付けから突如として投書者の年齢も載るようになりました。

自己申告の職業

そうやって新聞の投書欄を見ているうちに、ふと思いつきました。せっかく日本の新聞の投書には職業が明記されてるんだから、いったいどんな職業の人が投書しているかを調べたら、おもしろいことがわかるんじゃないだろうか、と。

やりました。たしかにおもしろいのですが、やってみたらそれが苦行であることもわかり、後悔しました。縮刷版をめくってメモしていくのですが、一年分のを調べるのに六時間くらいかかるんです。なにしろ朝日新聞には、平成一七年だけで、二六〇〇通あまりの投書が掲載されてます。読売・毎日と比べて、全国紙の中でも朝日はかなり投書の掲載数が多いんです。

そこで、朝日の投書欄を一〇年ごとにさかのぼって調べることにしました。朝日を選んだ理由は、投書掲載数の多さだけではありません。職業のバリエーションが他紙に比べて多い――ような気がするんです、私が見たかぎりでは。

これはおそらく、読者層が広いというよりは、朝日が投書者の自己申告を尊重しているのが理由だと思います。たとえば、朝日だと喫茶店経営、駐車場経営、学習塾経営などと細かく載ることが多いのですが、他の新聞は自営業と、ひとくくりにしてしまうようです。

ですから、厳密にいうと職業ではないものが多く見られるのも朝日の特徴です。なんとかの会会員とか、なになに団体主宰とか、なになに研究家とか。ちょっと怪しい感じもありますが、このほうが投書者の個性がうかがえておもしろいですよね。

職業名を書いてもらうというのは、自分が何者であるかを宣言してもらうってことなんですから、会社員、自営業、ってまとめてしまったら、せっかくの宣言が無意味になってしまうじゃないですか。他の新聞もなるべく自己申告を尊重していただきたいものです。

投書欄雑感

投書欄の職業を調べる作業をしていますと、この人どんな生活をしているのだろう、と想像にふけってしまったり、逆に、なぜこの職業の人の投書がないのだろう、とか、いろいろと感慨深いものがありました。

家事手伝いならわかるんですが、家事見習い、って人がいました。察するに、家でごろごろしているプータローの娘に家事を手伝わせてみたら、人並みはずれて家事がヘタなことがわかり、愕然とした母親が、あんたは家事手伝いにもならんから、家事見習い！と宣告したのでしょうか。あ、これはあくまで、私の勝手な想像ですけどね。見習い期間を終えて、家事手伝いに昇格できるよう、健闘を祈ります。

キリスト教の牧師からの投書はわりと頻繁に見られるのですが、神父を名乗る投書は、ほとんどありません。ゼロではないようですが、私が調べた中には、一通もありませんでした。キリスト教の聖職者は基本的には、プロテスタント系が牧師、カトリック系が神父と区別されています。でも、カトリックには、汝、みだりに新聞に投書するなかれ、とかいう教義はないはずですけどねえ。

昭和三〇年には、療養者を名乗る投書が四〇通以上もありました。これも詳しい事情はわかりませんが、一〇年後には激減しているところからすると、三〇年ごろはまだ結核患者が多く、長期入院や自宅療養をしていたせいではないかと考えられます。まだテレビが普及していない時代ですから、新聞を読み、自分も投書することで社会とのつながりを感じようとしていたのかもしれません。

会社員の呼び名は昭和三〇年にはすでに定着していましたが、昭和五〇年くらいまでは、勤め人と名乗る人がちらほらいました。他にも、勤労者、労働者、おもに肉体労働が中心の労務者など、けっこうバラエティーにとんでいたのですが、平成に入るとどれも使われなくなってしまいました。

それと入れ替わるように登場したのが、フリーターです。フリーターという言葉が一般に使われ始めたのは昭和六二年ごろのことで、投書欄でもフリーターの賛否について意見が闘わされていましたが、賛成側もそのころはまだアルバイターなどと名乗っていたんです。

自らフリーターを名乗る投書が最初に載ったのは、平成二年七月のことでした。この投書の内容はフリーターとはまったく関係のないものですので、この時点でフリーターという呼び名が、賛否はともかく、世間的にも定着していたことになります。
フリーターですら世間に認知されるまで三年ほどかかったんです。ニートという言葉が登場したのは平成一六、一七年ごろですから、定着するか流行語で終わるかが決まるのは、まだまだこれからです。ニートのみなさんは、ぜひがんばってください。

「元なになに」って……職業？

では、一〇年ごとの投書者職業ベストスリーを発表します。

昭和三〇年
主婦（一六％）　会社員（一〇％）　学生（一〇％）
昭和四〇年
主婦（一八％）　会社員（一二％）　学生（六％）
昭和五〇年
主婦（一五％）　会社員（一二％）　無職（九％）
昭和六〇年

主婦（二一％）　無職（一四％）　会社員（九％）
平成七年
無職（一七％）　主婦（一七％）　会社員（一一％）
平成一七年
無職（二五％）　主婦（二一％）　会社員（七％）

まずはおことわりしておきますが、これは東京版のみの結果です。投書面は地方ごとに異なります。また、古い縮刷版には、印刷ミスで読めないページや、悪質な閲覧者によって破り取られていたページもほんの数か所ありましたので、完璧なデータではありません。

ページを破り取るのは論外にしても、図書館の本に線ひいたり書き込みしたりするのも、かんべんしてほしいです。大事な文章やいい文章を見つけたからといって、なんのためらいもなく他人の本に線を引く行為は、電車の中でいいケツ見つけたからといって、ためらいもなく触るのと同じくらいハレンチな行為です。ところで、ハレンチっておもしろい言葉ですよね。日本語なのに外来語みたいで。

話を戻します。このベストスリーだけでも、投書は世につれ、ってことがわかります。いつの時代も主婦は投書欄の女王ですが、無職が時を追って増えてます。これは失業者でなく、定年退職した男性が増えたってことです。女性の場合は、年取ってばあちゃんになっても、主婦として投書できるんです。

平成七年には、そのことを不満に思っているお年寄りからの投書が載りました。職業欄に無職と書くことに抵抗があるといい、このかたは「年金生活者」を名乗っています。これに共鳴したのか、この年には、年金生活者を名乗る投稿が八件載ってます。定年後も年金と貯金でそこそこゆとりを持って暮らしているなら、それは人生の勝ち組である証なのですから、むしろ六〇すぎての無職は誇りに思ってもいいはずです。それなのに、無職と名乗ることに抵抗があるということは、日本人が、職業に特別の思い入れを抱いているという証拠です。

日本政府は、三〇年以上前から「世界青年意識調査」というものをやってます。これで以前、人が働くのはなんのためだと思うか、という質問がありまして、欧米では圧倒的に、収入を得るためという回答が多いのですが、日本の若者は、仕事を通じて自分を活かすため、と答える割合がやや多めに出てました。欧米人が若いころから仕事を金を稼ぐ手段としか考えていないのに対し、日本人にとっては、若いころから仕事や職業が見栄の一手段であるということがうかがえる結果となりました。

さて、投書する際に無職と書くことに抵抗のある見栄っ張りがたくさんいることはわかりましたが、彼らが取る手段としてもっとも多いのは、なにかわかりますか。これがじつは、「元なになに」という肩書きなんです。平成七年だけで八〇人あまりの投稿者が元なになにと名乗って掲載されています。そのなかでも一番多いのが、元教師・元校長で、二九人いらっしゃいました。教育問題と関係のないネタでも、元教員と名乗るのですから、教員のみなさんのプライドの高さといったら、尋常ではありません。

この事実に気づいたのは私だけではなかったようで、平成一一年の四月に、「無職とは　なぜか書けない　元教師」というスパイスの効いた投稿川柳が掲載されてるんです。これを受けて、さっそく元教師のかたが、じつは自分も疑問に思っていた、と投書を寄せています。このことがきっかけになったのかは定かでありませんが、これ以降、元教師という肩書きが投書欄から姿を消します。その代わり、みなさん「元教員」を名乗るようになりました。なんじゃそりゃ。

でも、「元」ってのは反則ですよねえ。これが許されるなら、失業中の人は、元会社員と名乗る権利があることになってしまいます。なかには、「前市議」という投書もありました。いつまで過去の栄光にしがみついてぶら下がってたら気がすむんですか。あんたはターザンか。

この際ですから、お教えしておきますけど、欧米では市町村の議員といえば、みなさん副業として手間賃程度の報酬をもらってやるのが常識です。退職金も年金もありません。地方議員が高収入を保証された職業になっているのは、先進国の中では日本だけなんです。日本の地方議員のみなさんは、海外視察にお出かけになるのがお好きなようですが、なにをご覧になってるんでしょうか。

それはさておき、朝日の投書欄ですが、平成一七年には、元を名乗る投書はたった一通、しかも、元教師・元教員はゼロという結果になっています。どうやら朝日は、元を名乗ることを許さないことにしたようです。同じ年、読売と毎日には元教師から の投書が何通も載ってますので、どうしても元教師と名乗りたいかたは、そちらに投書してください。

投書のススメ

ちかごろではネットやブログの普及で、だれもが自分の意見を自由に発言できるようになりました。そうなると、新聞の投書欄なんかに意味があるのかという疑問が出てくるはずです。

まあ、たしかに新聞に投書しても、必ず載るわけではありません。なにしろ、新聞の投書は月に五〇〇〇通くらい来るそうですから、採用される確率はかなり低いんです。だったらネットでいいたいことをいったほうがいいや、となる気持ちもわかります。

ただ、ネットって、知らない人に読んでもらえる保証がまるでないんですよね。ブログ始めたよ、と友だちにいえば読んでくれるでしょうけど、だったら、友だちと飲みに行ってじかに話したほうが楽しいような気がするんですが。

新聞に投書して掲載されれば、何百万人という不特定多数の人が読んでくれるんです。これってけっこう凄いことですよ。それだけのヒット数があるブログなんて、そうそうないでしょう。

しかも——こっちのほうが重要だと思うのですが、それが縮刷版になって、図書館などで半永久的に保存されるんです。そのおかげで、昭和三〇年の庶民がどんな意見を持っていたか、それをいま知ることができるんです。貴重な史料になるんです。ネットだと、みんながバラバラな場所に意見を散らかしてますし、古いものは削除されてしまうこともあるので、史料になりうるかどうかは、かなり疑問です。

新聞の投書欄に載れば、私みたいな物好きが五〇年後にその意見を読むこともあるんですよね。自分の投書が五〇年後の人に読んでもらえる可能性があるなんて、ちょっとワクワクしませんか。ネット時代になっても、私はまだまだ新聞の投書欄には存在価値があると思います。

闇ハローワーク

おっと、ヤクザの若頭の就職問題を、すっかり忘れておりました。ハローワークの職員に代わり、私がご相談に乗りましょう。

ヤクザはヤクザとして確定申告をしませんので、彼らの正確な年収を知るすべはありません。警察が推計した暴力団の非合法収入やら、暴力団の組員数などの数字をもとに、かなりおおざっぱに推計すると、一人あたり一七〇〇万円程度の年収になる、という説もあります。この数字はおそらく経費込みなので、実収入はかなり下がると思われます。それに、女のヒモになって食わしてもらってる下っ端のチンピラまで含めたら、もっと下がるでしょう。

仮に、この年収を信用しますと、ヤクザが生活レベルを維持したままカタギとして勤めるのは、かなり難しいといえます。

これは（一五〇―一五三ページ参照）厚生労働省の調査結果をもとに、職種・男女別の年収を多い順に並べたものなんですが、先にひとつおことわりを。これは勤め人として給料をもらってる人だけの数字です。弁護士や医者で、独立開業してる人は含まれていないことに、ご注意ください。

ざっと表を眺めて意外だったんですけど、高校の先生っていい給料もらってるんですね。一位が女性弁護士ってのも意外です。サンプル数が少ないとはいえ、それでも一三〇人の平均ですから、かなり高給取りであることは事実です。

さて、これによれば、勤め人として一七〇〇万円以上稼げる仕事は、弁護士くらいしかありません。ちょっとランクを下げればパイロットがありますが、いずれにして

職種別年間賃金
賃金構造基本統計調査平成17年（厚生労働省）のデータをもとに、12か月分の月給とボーナスを足したもの。アミカケが男性、アミナシが女性。

職業名	年間賃金（万円）	職業名	年間賃金（万円）
弁護士	2230	診療放射線・診療エックス線技師	528
弁護士	2067	システム・エンジニア	526
航空機操縦士	1328	旅客掛	526
大学教授	1179	一級建築士	514
大学教授	1056	臨床検査技師	507
医師	1020	自然科学系研究者	500
大学助教授	918	各種学校・専修学校教員	499
歯科医師	899	獣医師	492
歯科医師	890	クレーン運転工	490
大学助教授	838	鉄鋼熱処理工	487
医師	802	技術士	482
高等学校教員	791	化学分析員	480
大学講師	787	一般化学工	476
記者	697	圧延伸張工	475
航空機客室乗務員	680	幼稚園教諭	467
不動産鑑定士	660	化繊紡糸工	458
公認会計士、税理士	658	システム・エンジニア	454
大学講師	652	港湾荷役作業員	453
航空機客室乗務員	642	掘削・発破工	451
高等学校教員	638	型鍛造工	447
電車車掌	632	各種学校・専修学校教員	440
自然科学系研究者	620	薬剤師	436
保険外交員	618	ガラス製品工	434
電車運転士	558	自動車外交販売員	433
薬剤師	555	自動車組立工	430
獣医師	550	機械製図工	429
発電・変電工	542	理学療法士、作業療法士	428
公認会計士、税理士	536	はつり工	426
記者	534	一級建築士	424
社会保険労務士	533	製鋼工	423

職業名	年間賃金（万円）	職業名	年間賃金（万円）
機械検査工	422	歯科技工士	381
看護師	420	フライス盤工	381
金属検査工	417	理学療法士、作業療法士	380
測量技術者	415	電車車掌	380
機械修理工	415	ワープロ・オペレーター	376
個人教師、塾・予備校講師	415	溶接工	376
非鉄金属精錬工	414	社会保険労務士	376
鋳物工	413	大工	376
百貨店店員	412	ボイラー工	376
電車運転士	412	技術士	375
臨床検査技師	410	介護支援専門員（ケアマネージャー）	373
介護支援専門員（ケアマネージャー）	409	オフセット印刷工	373
看護師	409	鉄工	372
半導体チップ製造工	408	電子計算機オペレーター	371
家庭用品外交販売員	405	仕上工	371
電気工	403	准看護師	368
デザイナー	402	准看護師	367
重電機器組立工	399	建設機械運転工	366
製紙工	399	営業用大型貨物自動車運転者	365
金属・建築塗装工	397	左官	364
クレーン運転工	397	玉掛け作業員	363
用務員	394	プリント配線工	361
電気めっき工	394	プロセス製版工	361
板金工	389	織布工	360
機械組立工	388	配管工	359
旋盤工	388	営業用バス運転者	358
キーパンチャー	387	自家用貨物自動車運転者	358
診療放射線・診療エックス線技師	387	プログラマー	358
栄養士	387	調理士	358
プログラマー	386	自動車整備工	357
合成樹脂製品成形工	386	とび工	356
精紡工	382	軽電機器検査工	356

職業名	年間賃金(万円)	職業名	年間賃金(万円)
金属プレス工	355	非鉄金属精錬工	309
紙器工	353	保険外交員	306
金属・建築塗装工	351	パン・洋生菓子製造工	304
一般化学工	351	家具工	300
化学分析員	350	給仕従事者	299
デザイナー	348	営業用大型貨物自動車運転者	299
販売店員（百貨店店員を除く）	344	洗たく工	298
バフ研磨工	344	個人教師、塾・予備校講師	297
守衛	341	オフセット印刷工	295
発電・変電工	341	家庭用品外交販売員	294
木型工	340	建設機械運転工	293
圧延伸張工	339	製材工	293
建具製造工	337	電子計算機オペレーター	293
保育士（保母・保父）	333	玉掛け作業員	288
幼稚園教諭	328	配管工	285
歯科衛生士	327	スーパー店チェッカー	283
通信機器組立工	327	営業用バス運転者	282
営業用普通・小型貨物自動車運転者	326	電気めっき工	282
自家用乗用自動車運転者	324	自動車組立工	282
鉄筋工	324	港湾荷役作業員	282
栄養士	321	百貨店店員	281
土工	320	福祉施設介護員	281
半導体チップ製造工	320	用務員	281
保育士（保母・保父）	318	理容・美容師	281
娯楽接客員	317	測量技術者	281
型枠大工	317	ミシン縫製工	280
機械製図工	317	プロセス製版工	278
木型工	316	洋裁工	278
福祉施設介護員	315	板金工	274
陶磁器工	312	歯科技工士	272
機械修理工	311	ワープロ・オペレーター	272
自動車外交販売員	311	調理士	271

職業名	年間賃金（万円）	職業名	年間賃金（万円）
娯楽接客員	270	鋳物工	241
バフ研磨工	270	自家用乗用自動車運転者	239
旅客掛	270	仕上工	239
キーパンチャー	270	精紡工	238
自動車整備工	269	販売店員（百貨店店員を除く）	237
フライス盤工	266	タクシー運転者	236
鉄工	265	自家用貨物自動車運転者	236
ホームヘルパー	262	旋盤工	236
看護補助者	262	プリント配線工	234
看護補助者	261	大工	231
ボイラー工	259	建具製造工	230
機械組立工	259	陶磁器工	229
警備員	259	スーパー店チェッカー	227
電気工	259	給仕従事者	224
製紙工	258	警備員	223
金属プレス工	254	溶接工	223
タクシー運転者	254	合成樹脂製品成形工	215
織布工	254	とび工	210
営業用普通・小型貨物自動車運転者	254	通信機器組立工	206
掘削・発破工	253	製鋼工	205
金属検査工	252	製材工	203
ビル清掃員	249	鉄筋工	203
ホームヘルパー	246	家具工	201
左官	246	土工	200
型鍛造工	246	洗たく工	198
機械検査工	246	パン・洋生菓子製造工	198
調理士見習	244	軽電機器検査工	195
守衛	243	鉄鋼熱処理工	195
ガラス製品工	243	調理士見習	193
重電機器組立工	243	ビル清掃員	180
紙器工	243	ミシン縫製工	176
化繊紡糸工	242	洋裁工	158
理容・美容師	242	型枠大工	157

も資格が必要なので、すぐに就職というわけにはまいりません。

そうするとやはり狙い目はその下、なんの資格も要らない大学教授ですか。どっかの私立大学の学長の弱みでも握って、軽く締め上げてみましょう。教授の椅子は、たちどころにあなたのものです。

高収入を絶対条件とするなら、もはやカタギにこだわってはいられません。経験を活かして、職業犯罪者への転身も視野に入れてみてはいかがでしょうか。善良な市民の一人としましては認めたくない事実ですが、犯罪は儲かるんです。

窃盗の一件あたりの被害額は、二〇〇四年の数字では、およそ一二万円です。週一回の仕事で年に六〇〇万、中流の暮らしができるのですから、やはりカタギの仕事とは比較にならないほど儲かります。でも、一七〇〇万円の年収を稼ぐには、年間一四二回仕事をこなさなければなりません。五三歳の体力では、ちょっときついですかね？

でしたら、オレオレや振り込めで、ここんところ絶好調の詐欺などはいかがでしょう。こちらは一件あたりの被害額およそ八〇万円。月に二件のノルマで、以前の収入と肩を並べます。

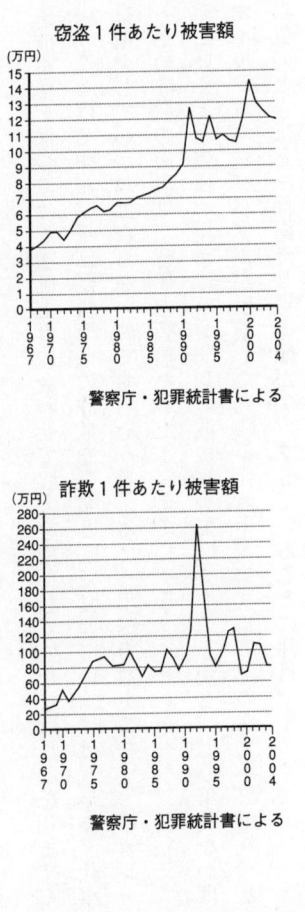

窃盗１件あたり被害額

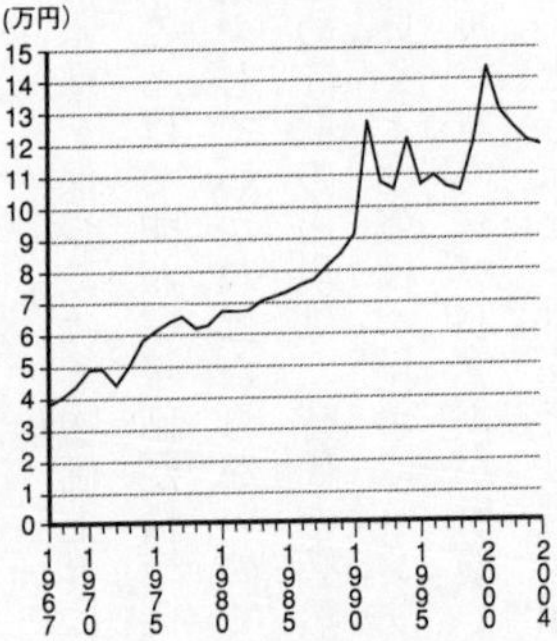

警察庁・犯罪統計書による

詐欺１件あたり被害額

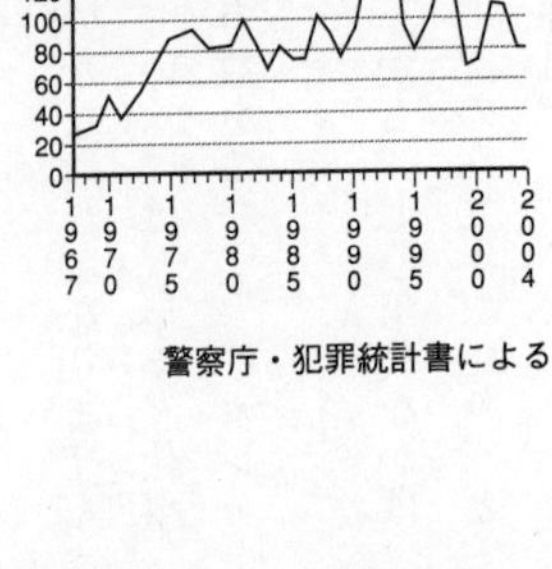

警察庁・犯罪統計書による

ただし、一件あたりの被害額の推移を見てみると、窃盗と詐欺の違いがはっきりわかります。

参考資料として、消費者物価指数のグラフもご用意いたしました。詐欺の一件あたり被害額は、年によってバラツキもありますが、この三〇年というもの、ほぼ横ばいです。

消費者物価指数

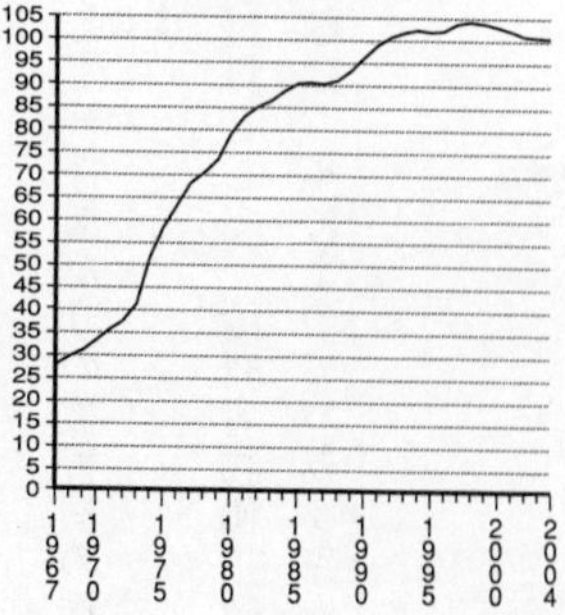

平成17年基準・帰属家賃除く

　生活水準を保つには、物価上昇に合わせて収入を増やしていかなければなりません。ということはですね、単価が横ばいの詐欺を職業として食っていくには、年々、仕事量を増やしていかねばならないのです。そう考えると、小口で数をこなすオレオレ・振り込め詐欺の出現は、時代の必然だったといえましょう。

　そこいくと窃盗は、見事にインフレの波に乗っています。しかも、七〇年代なかばのオイルショック、バブルが崩壊した九〇年代前半、デフレ不況の九九年あたり、と、不景気のときほど一件あたり被害額がアップしていることに注目です。

不景気だと失業してやむなく泥棒になる人もいるでしょうから、窃盗の件数や総被害額が増えるのはわかるんです。でもそうなると、競争原理がはたらいて、一件あたりの被害額は減るかと思えば、さにあらず、逆に増えているのが意外です。まあ、理屈はともかく、泥棒は不景気に強い職業であることがわかりました。

社長になろう！

とはいえ、やはりカタギの世界で天下取るといったら、社長ですよね。ヤクザの若頭クラスのかたに社長業をオススメするのは理由があります。林知己夫さんは、日本でリーダーとして人気が上がるのはどんな人か、という調査をしています。それによりますと、一位は「苦労人」で、七二パーセントのかたが支持しています。生き馬の目を抜くヤクザの世界で、長年幹部を勤め上げた人にはぴったりの条件です。逆に、「まじめで深刻な顔」「有名大学出」なんてのは人気がありません。

最近では、社長は会社のカネでベンツに乗れるという本がベストセラーになりましたけど、クルマどころではありません。会社のカネで社宅として家を借りて愛人を住まわせていた大企業の社長さんもいたくらいですし、とにかく社長には、やりたい放題のおいしい特典が多いということは、みなさん感づいているはずです。

産労総合研究所の調査では、取締役の報酬を実質的に決めているのはだれかという質問に、七四パーセントの企業が、社長、とぶっちゃけています。社長になれば、自分の給料を自分で決められるんですよ。

しかし一方で、社長の給料が秘密のベールに包まれているのも事実です。たまにビジネス関連の雑誌や週刊誌などで、社長の年収なんて記事が載るんですが、あれって、ほとんどが、長者番付の納税額から推計した金額です。

高額納税者の収入には、自社株を売った儲けなどが含まれますので、特殊な例であって、統計データとはいえません。しかも、長者番付の発表が取りやめになってしまったので、推定もできなくなってしまいました。

労働者の給料は政府による公式統計があるのに、社長の報酬はありません。なぜかというと、それは個人のプライバシーだからといって調査に応じようとしないのです。

それでも果敢に調査を試みている団体がいくつかあります。先ほどの産労総合研究所の他にも、労務行政研究所、賃金管理研究所、政経研究所といったところがやってます。どれも、アンケートの回収率は非常に低いです。二〇〇〇社に依頼して答えてくれたのが、たったの二〇〇社とか、六〇〇〇のうち一三〇社とか、まあ、惨憺たるありさまです。

その中で、もっとも長期にわたって続けているのが、政経研究所です。昭和三六年から継続しているという、貴重な調査です。ただし、他に比べてかなり控えめな数字が出るのが特徴ですので、そのへんは頭に入れておいてください。

それでは、社長の月給と、厚生労働省による労働者の月給を比較してみましょう。

なお、労働者のデータには、ボーナス分が均等割にして含まれています。

社長と労働者の月給

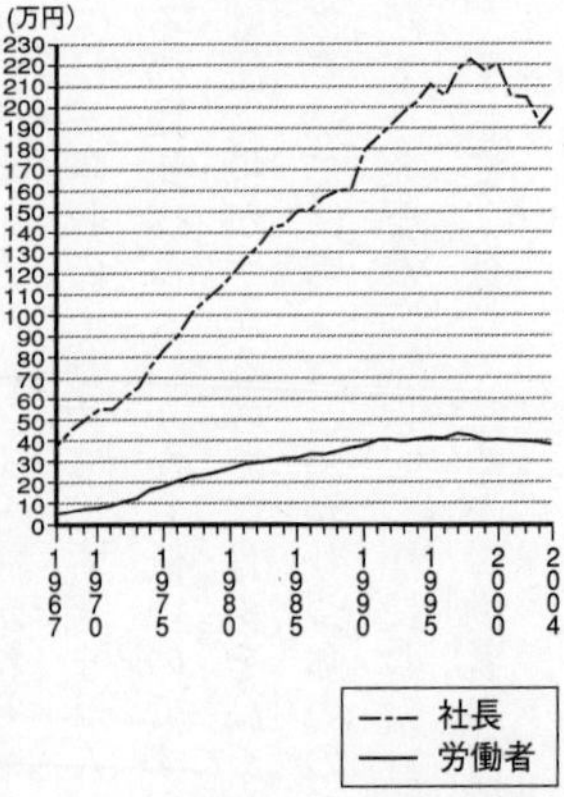

(労働者はボーナス分も含む)
政経研究所および
厚生労働省「毎月勤労統計」のデータによる

え、社長のボーナスは？　と聞かれそうですが、労務行政研究所によれば、社長のボーナスは、年収の一割程度にすぎません。社員のボーナスが年収の二五パーセントを占めるのに比べると、かなり低いのですが、これは税務上の問題です。社長のボーナスには法人税がかかるので、月給を高くしたほうがトクなんです。

このグラフではちょっとわかりづらいのですが、二〇〇四年の時点で、労働者の給料がまだ下り坂なのに対して、社長の給料には早くも回復の兆しが見えるのが嬉しいですね。そして、社長の月給が労働者の何倍かをグラフにしたのが、こちら。

社長と労働者の月給比率

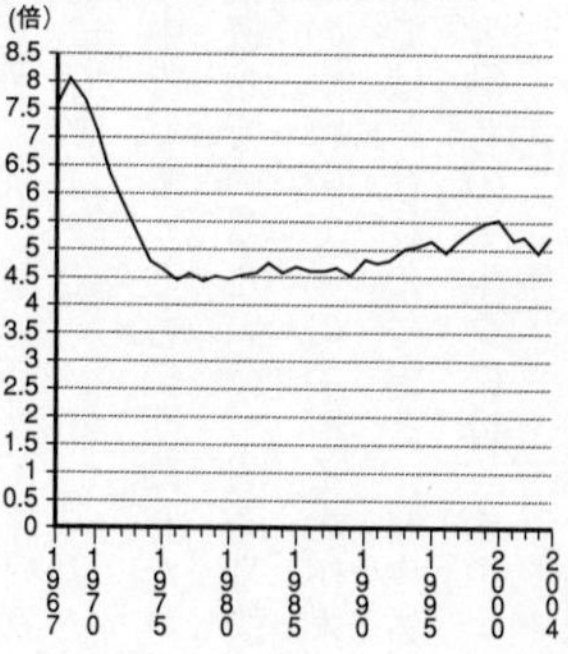

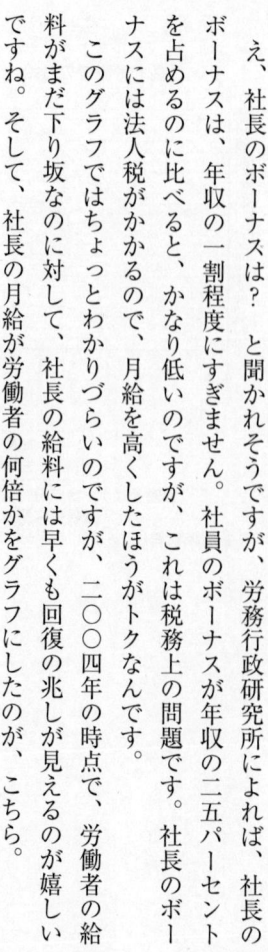

不況の中であっても、全体的な傾向としましては、ゆるやかではありますが、社長と労働者の月給の格差は開きつつあることがわかります。ゆるやかな開きといっても、金額にすれば何十万、何百万円の差ですからね。

やっぱ、なるなら社長か泥棒だわ。

こらえ性のない社会

誤解のないようお願いしたいのですが、私はヤクザに肩入れしたり、応援したりするつもりはありません。悪いことをした連中は、つかまえて処罰すべきです。

ヤクザは、ムショなんて恐くねえ、と虚勢を張りますが、ウソですよ。だって、サラリーマンみたいな規則正しい生活をしたくないから、ヤクザになるんです。ムショに入ったら、毎朝早起きして一日労働して、決まった時間にメシ食ってクソしてみたいなことをさせられるんだから、これ以上の悪夢はありません。

ただ、ヤクザの存在を全否定してしまってはいけないと思うんですね。精神に異常をきたした状態で罪を犯しても、刑罰を科されることはありません。それは、そういう人を人間として扱ってないからです。ヒトとして認められていない存在には、罪は問えないってことです。ヤクザの犯罪を処罰するには、彼らを悪ではあるけど、ヒトとして扱わなければいけないんです。

東京新宿歌舞伎町といえば、ヤクザがたくさんいることで有名でしたが、何を思ったか、街の浄化と称して、東京都はヤクザを追い出しにかかったのです。その結果どうなったと思います？ 歌舞伎町からはヤクザが減ったかもしれませんが、地上から消滅したわけじゃありません。錦糸町など、他の地域に引っ越しただけだといわれています。住宅地に近いところにヤクザが来たら、余計危ないじゃないですか。

犯罪の取り締まりを強化するだけでは、職業犯罪者は減らないんです。暴力団員を減らしたいのなら、受け皿となるカタギの職を用意してやらなければなりません。

東京の場合、カジノ構想というのが以前からあります。一部地域で賭博を合法化しようというのですが、それがいいじゃないですか。ヤクザは本来、博徒でした。ギャンブルを仕切ることで稼いでいたんです。だから、東京都がカジノをお始めになるのなら、組とはきっぱり縁を切ることを条件として、足を洗った暴力団員を積極的に従業員として雇ってやったらどうですか。

犯罪者だけではありません。失業者など、社会的敗者に対する再チャレンジ制度を、とか、努力した者が報われる社会の実現を、とかいう政府の掛け声だけは聞こえてくるのですが、それがどこまで本気なのか、疑わしいんです。

そもそも私は、いまの日本は、こらえ性《しょう》のない社会になっているように思えてなりません。成果主義だの即戦力だのと、すぐに結果を求めようとしますよね。みなさん、こどもがすぐキレるといって、こらえ性のないことを批判しますけど、ちょっと待ってくださいよ。会社だって従業員の成長を待てずにすぐクビにするのですから、こらえ性がないという点においては、オトナもまったく同じではありませんか。

萩本欽一さんは、浅草でコメディアンの修行を始めたころに、先輩の芸人に、「どうやったら上手くなりますか」と訊ねたそうです。先輩はこう答えました。「一〇年やれば、バカでも上手くなる」。

昔から、職人は一人前になるのに一〇年はかかる、なんていいました。そういわれると、なんだかとっても、つらくキビシい修行を強いられるように思えますが、でもそれって裏を返せば、一人前になるまで一〇年も猶予をもらえたってことなんです。その間、親方は給料は払わずとも、衣食住の面倒はみてやることが不文律となってたわけで、要するに社会全体に、こらえ性があったってことです。

お笑いの世界は、いまだって長期戦じゃないですか。落語家は、入門してから真打ちになるまで一〇年以上かかります。弟子も師匠も、それなりの覚悟が必要です。漫才やコントなどのお笑い芸人も、デビューしてすぐに売れる人のほうが珍しい。いまテレビで活躍している人たちだって、売れるまでに七、八年くらいはかかってるのが普通です。お笑い芸人がなにをもってブレイクしたか、を測る基準がないので、データ的な検証は難しいんですけどね。

ニートだのフリーターだのの議論では、いかにして彼らを職に就かせるかばかりが問題になってまして、もちろん、それは重要なんですが、職に就いたからといって、すぐ一人前になれるわけではありません。それは、失業者の転職でも同じことです。若者の成長や、若者ばかりでなく敗者の復活を、一〇年待ってやれる度量があるかどうか、それが問われているんです。われわれ全員にその覚悟がないかぎり、再チャレンジ制度なんてのは、口先だけで終わってしまいます。

第二夜　データとのつきあいかた

漫才『データを出せ！』

「キミ、コーラて知っとる？」

「コーラて、飲み物《もん》の？　そら知っとるよ」

「なんや、知っとるんか」

「バカにすんのも、たいがいにしなさいよ。いまどきコーラ知らん人がおるか？」

「そうやなあ。せやから不思議やない？」

「なにが？」

「ほとんどの人がコーラがどういうもんか知っとるのに、なんで毎日毎日、テレビでコーラのCM流すんやろね。みんな知ってるんやから、もうそろそろCMやめてもええんとちゃうの」

「いや、あのな、CMっちゅうもんは、新製品を知ってもらわないかんという目的もあるわな、たしかに。せやけどね、食料品みたいな消えものは、移り気な消費者にずっと買い続けてもらわんと商売にならん。CMには製品の売り上げを維持する目的もあるわけやないの」

「はあ、因果なもんやなあ」

「考えてみりゃあ、食品メーカーってのも、ほんま因果な商売やわ。一〇〇円、二〇〇円のものを売るのに、何億円も広告費かけてCMを流し続けんと、消費者に忘れられてしまうんやからなあ」

「おや、この黒い液体は、なんぞや？」

「コーラそのものまで、さすがに忘れんやろ。そこまでいったら、病院で診察受けなあかんわ」

「ああ、脳が縮んでまうこともあるらしいな」

「コワいな」

「しまいにゃ、アタマ振ったらカラカラ音しよる」

「するかいな」

「もっと振っとったら耳からおみくじ出てきよる」

「出るかい！」

「大吉か？」

「知らんわ！」

「ボクなんか、ＣＭで教えてくれへんから、こないだトイレ行くの忘れて、漏らしてしもた」

「しっかりせぇよ。だいたいな、キミだけのために、そろそろ小便の時間やで、ってＣＭ流してくれる物好きなスポンサーはおらんぞ」

「少子化が進んどるのも、ＣＭで作りかたを教えんからとちゃうの」

「そんな、なまなましいＣＭ、できるか！」

「はて……？　ＣＭでやってもないのに、キミんとこの嫁はんがブサイクやと知れ渡ってるのは、なんでや？」

「コラッ！　だれがブサイクじゃ。キミの主観的な意見を勝手に広めんな。どっからどこまでがブサイクか、基準となるデータを出せ！　みんな知ってるっちゅうのは、日本国民の何パーセントをさすのか、そっちもデータを出せ！」

「じつは、ボク今度、漫才師の副業に、経営コンサルタントを始めようかと思っとるんやけどね」

「なんの話やねんな……いきなり」

「データをちょろちょろっと集めてきて、それを分析してアドバイスすればエエんやから、ラクな商売やで。材料や商品を仕入れる必要もあらへんから、元手もかからん」

「そう簡単に、いくもんやないで」

「そこらの中小企業のしみったれたおっさんを相手にしても、単価が安いやろ、せやから大手メーカーばかりの業界に目をつけたんや」

「ほう、なに業界ですのん」

「飲料メーカー」

「……あのな、コーラのCMやってる意味もわからんドシロウトが、なにをアドバイスするつもりやの」

「キミはつきあいが長いから知っとると思うけど、ボクは無類の缶コーヒー好《ず》きなわけや」

「ああ。しょっちゅう飲んどるな」

「それでや、缶コーヒーの売り上げを調べてみたんやわ。ちょっとこれ見てみ」

缶コーヒーシェア（二〇〇四年）

コカコーラボトラーズ	三九・八%
サントリー	一六・九%
ダイドードリンコ	一〇・一%
アサヒ飲料	七・三%
キリンビバレッジ	六・九%

（出典・『東洋経済統計月報』二〇〇五年一二月号）

「ほう、おもしろいもんやなあ。けっこう大差がついてるやないの。缶コーヒーの売り上げなんて、てっきり、ドリンクの背比べかと思うとったわ」

「一応、聞くけどやな……なにそれ？」

「あ、ドングリの背比べや」

「ちょっと、みなさん、聞きました？　ツッコミがたまにボケかますと、この始末ですわ。不憫やなあ」

「やかましいな。ボクはキミと違ってコーヒー党ちゃうからな、缶コーヒーなんて、どれ飲んでもおんなじやろ、と思うとったんやわ」

「おんなじやがな」

「ええっ？　そうなん？」

「二〇〇二年に全日本コーヒー協会が行なった調査があるんやけどね、缶コーヒーを飲む理由として「味が好きだから」と答えた人は、たったの二三パーセント」

「ほう」

「一番多かったのが、「手軽に飲める」の七一パーセント。次いで「どこでも買える」の五七パーセント。缶コーヒーを味で選んでるヤツなんか、おらんねん」

「ほんまかいな？　じゃあ、なんであんなにシェアの差が開くんやろ？」

「同じ調査で缶コーヒーの購入場所も聞いてるんやけどね、それによると、自動販売機が八〇パーセントとダントツや。二位のコンビニの三三パーセントを大きく引き離しとるんよ。要するに缶コーヒーってのは、飲みたいわぁ、と思ったときに手近の自販機で買って飲むもんであって、ほとんどの人には、味とか銘柄へのこだわりなんかあらへんわけや。それを踏まえて、これ見てみ」

自動販売機台数（二〇〇四年一二月現在）

コカコーラグループ	九八万台
サントリー	四一・四万台
ダイドードリンコ	二七・六万台
キリンビバレッジ	一九・二万台
アサヒ飲料	一六万台

（出典・『日経産業新聞』二〇〇五年七月二六日）


「どないや。さっきの売り上げシェアと比べてみて」

「順位も比率も、ほぼそっくりやな」

「せやろ？　缶コーヒーのシェアってのは、自販機の台数でほとんど決まるんやわ。だから、自販機を一〇〇万台ほど作れば、どのメーカーも缶コーヒーのシェアで日本一になれるチャンスあり、っちゅうわけや。どや、ボクの華麗なるコンサルタントぶりは」

「そりゃあ、理屈の上ではそうやわな。でも、街中《まちじゅう》を自販機だらけにしてまで、日本一になる意味があるんかな。なんや、それってむなしい話とちゃうか？」

「待て待て。データを出せ、ってしつこくせがんだのは、キミのほうや。出したあとで文句つけられたら、かなわんなあ」

「いやあ、たしかにいうたけどな」

「とにもかくにも、ボクの理論の正しさが、データで証明された、っちゅうことは認めてくれるやろ？」

「まあ、それは認めなしゃあないわな」

「ボクはいつも正しいんや。これで、キミの嫁はんがブサイクやいうことも証明されたで」

「そっちは認めんぞ！　だいたい、キミがいえた義理か？　キミんとこの嫁はんかて、ブサイクじゃ町内で一、二を争うやんか」

「なにをいうてんねんな、うちの嫁は、松嶋菜々子にそっくりやがな」

「うそつけ、どこが似とるんじゃ、データを出せ！」

「鼻の穴が二つ……」

「もうええわ」

いかがわしさとおもしろさと

いい加減な統計をデッチあげるのは簡単だが、それに反駁するには何倍もの労力を必要とする。多勢に無勢のリサーチ・リテラシーは、息苦しいまでの消耗戦を強いられるのだ。

——赤川学「人口減少社会における選択の自由と負担の公平」

データに対する「証明―反証」合戦は、それ自体がデータの「正しさ」とは無関係な「情報戦」になってしまう……その優劣を決するのは、データを受容する側が「なんとなくそう思う」という程度のことであり、そうした人の数の多寡なのである。

——鈴木謙介『カーニヴァル化する社会』

データってなんだよ？

——橋本治『乱世を生きる　市場原理は嘘かもしれない』

さて、データって、なんでしょうね。データは何を語るのでしょう。データがなんらかの真実を伝えてくれるのでしょうか。山ほどの正しいデータで裏付けされた意見や学説なら、信じてもいいのでしょうか。

データほどおもしろいものはないし、便利なものはない。と同時に、データほどバカバカしいものもない、っていえば、私の気持ちをほぼ伝えられると思います。

私はデータが好きなんです。ふとした思いつき――たいていは、くだらないことなんですが、それを確かめるために、一日かけて図書館でデータを探すことがあります。国会図書館まで出掛けることもあります。この夏、国会図書館の新館にある喫茶店で飲んだアイスカフェラテが、信じられないほど薄味だったのが忘れられません。

思いつきがデータによって見事に証明されると愉快ですし、思いもよらないデータが出てきて仮説が覆されても、それはそれで爽快です。

ちょっと無理があるかなあ、と自信のない意見でも、データを添えて提出すれば、みなさんわりと簡単に信用してくれます。これはどう見ても無理があるだろうというおバカなアイデアも、データをこじつけて、もっともらしく主張すると、おもしろがってもらえます。

これって凄いことだと思いませんか？　どんなくだらない思いつきでも、それを裏打ちするデータが、探せば必ず世界のどこかに転がっているってことなんですよ。そうです、この世には、データで証明できないものはないのです！

——と豪語したまま、ここで終われば、私はデータ教の教祖として後世に名を残すことができるのですが、これがあまりにばかばかしいヘリクツであることは、みなさんうすうすお気づきのことでしょう。

解体屋が「オレはこのバール一本で世界のすべてを壊せる」と豪語したら、どうですか。それが可能かどうか、なんてことを検討するより先に、こいつ危ないヤツだなあと思いますよね。もし、「データで証明できないものはない」なんていうヤツがいたら、それも同じくらい危ないんです。

だってね、データですべて証明できるのだとしたら、「AはBである」、「AはBではない」このまったく逆のふたつの命題を、両方ともデータで証明できてしまうことになりますし、実際、社会問題や社会現象に関する研究では、それに近いことを、みなさん、やってるんです。だから、社会問題に関する議論は永久に決着しないのです。

ですから私はデータなんてものに対してつねに半信半疑ですし、データを使った証明とやらも、お笑い芸人のあるあるネタのつもりで聞いています。データが正しいかどうかではなく、データを使って、どれだけおもしろいものの見方を提供してくれるか、がキモだと思ってます。

私自身、データを使ってお笑いをやっているだけ、統計漫談なのだと公言していますし、それどころか、社会学や経済学など、データを使った社会科学は、すべてお笑いぐさにすぎないと断言してもいいと思ってます。

「経済学なしに社会は成り立たないのだ」、みたいな、思い上がった発言をしているような人たちは、私の意見に激怒するでしょうけど、そんなもん、女子高生が「あたし、ケータイないと死んじゃう～」ってのと同レベルのゴタクにすぎません。あれば便利だけど、じつはなくても平気ですし、入れ込むと逆に害を及ぼすこともあるというのが、社会科学です。

社会科学は楽しければ、それでじゅうぶん存在価値があるんです。社会科学の法則を絶対視して、他人に強制しようとし始めたら、それは危険なファシズムです。そうなったら、京極夏彦さんの小説ではありませんが、社会科学の憑き物落としをしなければなりません。

データは自然に湧いてこない

統計的有意性とか回帰分析とか、統計学の理論を修めていないシロウトには、社会現象を理解できないのでしょうか？

そんなことはありません。統計学は、データをこねくり回す技術にすぎません。ピザの生地を空中に投げて広げるワザを持たなくても、ピザを味わって美味いか不味いか判断できるように、出されたデータそのものを味わえば、その真偽はたいていわかるものです。

社会現象に関するデータとつきあう上で、最も大事な点をお話ししましょう。「データは自然に湧いてこない」んです。

どんなに高度な分析から得られたものであろうと、データは自然に湧いてくるものではありません。誰かがなんらかの目的を持って社会現象の一部を切り取ったものなんです。すべてのデータには、それを作成した人間の、なんらかの意図や偏見が裏に隠されています。データをおもしろがれずに、信じてしまう人は、そこらへんのカラクリをわかってないのでしょう。

世界一犯罪発生率の高い国は、どこだと思います？　まっ先に思いつくのは、やっぱりアメリカですか。「やっぱり」なんていうと、アメリカ人は気分を害するかもしれませんけど、アメリカ人はなんでも一番にならないと気が済まないのは事実です。ライアル・ワトソンさんによれば、連続殺人鬼による犯行は世界中――南極大陸以外のすべての地域で見られるそうですが、以前にＦＢＩが発表したデータでは、連続殺人鬼の四人に三人は、アメリカ合衆国に住んでるとのことです。世界一の連続殺人鬼人口密度です。なんでアメリカ人が『リング』や『呪怨』みたいなお化け映画をわざわざ観に行くのか、わかりません。ご近所に回覧板届けるほうが、よっぽどコワいじゃないですか。

南米諸国も、営利目的の誘拐などが日常茶飯事だと耳にします。いや、近頃は日本の治安も悪化しているというから、まさかの犯罪発生率一位もありうるか？

二〇〇三年、イギリスのニュース通信社ロイターが、この問題に関しておもしろい解答を報じていました。世界一犯罪発生率の高い国は、バチカン市国だというのです。ローマ法王のお膝元で犯罪が渦巻いているだなんて、なんとバチ当たりな！　と十字を切ったかたもいるでしょうけど、これはもちろん、統計マジックを利用したお遊びです。

犯罪発生率というのは、国民の数に対して、犯罪がどれだけ起きたかを計算した数値です。人口一〇万人あたり何件、みたいな。バチカンの人口は一〇〇〇人にも満たないのに、観光客がたくさん訪れるため、それを狙ったスリなどの軽犯罪が多発します。犯罪者もほとんどが、バチカン以外から出稼ぎに来ているわけです。しかし、データだけから単純計算をすれば、いかにもバチカンが世界一の犯罪国家であるかのような汚名を着せることができるわけです。

ロイターのこの記事に対して、バチカン市国から苦情がきたかどうかは定かでありませんが、謝罪したという報道を目にしてませんから、おそらくなかったのでしょう。ローマ法王は記者にむかって、「アンタ、地獄に堕ちるわよ！」とはいいません。

それに比べて、日本はなんとも冗談が通じづらい国です。大阪がひったくり発生件数日本一であることは、だいぶ前から周知の事実ですが、上岡龍太郎さんがその昔、大阪人はひったくられているだけで、ひったくり犯は奈良から来てるんだ、とテレビで発言して、物議を醸したことがありました。日本人は、この程度の冗談も冗談として笑いとばせないんですね。

そういえば、犯罪データに関する報道って、よく考えると、当たり前のことをいってるのが、けっこうありますよね。「若者の犯行によるひったくりが、社会問題になっている」とか。

そんなもん、どこにも不思議なところはありません。ひったくりってのは、気合いで奪って根性で逃げる、体育会系の犯罪と昔から決まっています。体力のある若いうちにしかできません。もし、老人のひったくり犯が急増してたら、そっちのほうが大ニュースです。

近頃はバイクに乗ったひったくり犯も増えたので、体力勝負とばかりはいえませんけど、バイクの場合はタイミングが命ですから、手元も目元もおぼつかない年寄りがやるには、やっぱり、ちとつらい。

念のため警察庁の統計で、ひったくり犯の年齢を確認しますと、予想通り一〇代・二〇代が全体の八割を占める中、七〇歳以上のチャレンジャーが、毎年平均五、六人いることに驚かされました。といってもこれ、捕まった人数ですからね。もしかしたら、なかには成功してる元気な体育会系ご長寿もいらっしゃるのかもしれません。

データとはなにか。その神髄を私に教えてくれたのは、誰だと思います？　統計学者？　いいえ。社会学者？　経済学者？　いいえ。じつは、お坊さんなんです。

仏教では昔から、「ウソも方便」といいます。人々を導くための手段を、方便というのですが、結果として人を救えるならば、ウソで導く、励ます、なんてのもひとつの方法だよ、という意味の言葉が、ウソも方便。

だいぶ前にひろさちやさんの本を読んでビックリしたのですが、仏教では、幼い子どもを亡くした親に、死んだ子のことなど早く忘れなさい、と説くのだそうですね。

こどもが死ぬと、すぐ極楽には行けず、賽《さい》の河原というところで来る日も来る日も鬼にいじめられます。月日がたって、親が死んだ子のことを忘れると、お地蔵さんがその子を極楽に連れて行ってくれます。だから、死んだこどものことを早く忘れることが、真の供養なんだよ、と。

ところが民俗学者によると、この話、もともとの仏教にはないらしく、日本の民間信仰が元になっているといいます。要するに、昔の日本の坊さんが、こどもを亡くしていつまでも悲嘆にくれている人を救ってやるために、仏教に取り入れた話なんでしょうね。まさに、ウソも方便なんです。

なにがいいたいかというと、私は「データも方便」だと悟りを開いたのです。自分の意見に賛同してくれるよう、他人をたぶらかして導く手段がデータなんです。

データがすべてウソだと決めつけるつもりはありません。ただ、社会現象においては、完璧に正しいデータなんてものも、この世に存在しないのです。なぜなら、現実の社会ってのは、無数の要素が絡み合ってできている複雑怪奇なものであって、ある要素だけを純粋に取り出すことは至難の業ですし、ましてや、その要素やデータの間にどんな因果関係があるかをつきとめることは、ほぼ不可能といっていいでしょう。

電車内での痴漢の被害を減らそうと、東京や大阪の鉄道会社が女性専用車を導入したことは、みなさんご存じでしょう。でも、女性専用車の導入に合わせて、鉄道警察隊が見回りや取り締まりを強化したことは知ってます？　このように、社会現象には必ず複数の要素が絡んでます。

つまり、女性専用車の導入後に痴漢被害が減ったというデータが出たとしても、はたしてそれが女性専用車のせいなのか、取り締まりを強化したせいなのか、はたまた他のなんらかの要素がはたらいたのか、その因果関係を正確に把握することはできないんです。

社会問題や社会現象に関する分析は、どこまで突き詰めても、「なんとなく、そうみたいね」という域を脱することはできません。説明はできても、証明はできないんです。だから当然、これから起こるであろう社会や人間の動きを、正確に予測することもできません。

ところがどっこい、シンクタンクやマーケティング関係の人たちは、なにをぬかすか、予測は可能なのだといって成功例を得意げに自慢します。でも、あの人たちの手口は、宝くじ売り場のおばちゃんと一緒ですからねえ。宝くじ売り場には、「ここから一等一億円が二本出ました！」みたいに朱書きしてありますけど、同時にハズレくじも山ほど売ってるんです。だからといって、「ここで販売したくじのほとんどがハズレました！」と失敗例を朱書きする人はいませんよね。

アメリカ人ほどマーケティングに熱心な人たちもいません。ハリウッドの映画会社なんて、公開前に試写をやり、客の反応が鈍いと、急遽、結末を撮り直させるなんてことまでしますけど、そのわりにヒットの予想はあてになりません。『スターウォーズ』も『ダイハード』も、『タイタニック』でさえ、公開前には、興行の失敗を予想していたというのですから、世の中、フタを開けてみないとわかりません。

タバコで経済成長

私は以前、タバコの販売量と高度経済成長の関連をネタにしたことがあります。戦後の高度成長期には右肩上がりに伸びていたタバコの販売量は、高度成長が終わった一九七五年前後から、横ばい傾向になっています。日本の高度成長とタバコの消費の関連は、明らかです。そういえば、いまや経済発展著しい中国でも、タバコの消費量はグングン伸びてます。つまり、日本でもみんなでタバコをいっぱい吸えば、また高度成長が実現できるのです――と、統計漫談的思考では、こうなるわけです。

くだらないでしょ。そう思うのは簡単です。誰でもできます。ところが、いったん出されてしまったデータを否定するのが、難しいんです。なんかおかしい、と直感的にわかっていても、「データの見方もわからねえドシロウトは、すっこんでろ」と、専門家に脅されると口をつぐんでしまいます。

仮に、タバコの販売量のデータそのものが偽造であったなら、話は簡単です。データそのものを否定すれば済むことですから。しかし、私が使ったデータにウソはありません。中国のタバコ消費が伸びてるってのも、WHO、世界保健機関のちゃんとしたデータです。

そうなると、もっと説得力のある別のデータを用意して、対抗しなければなりません。ちなみに、専売公社、いまのJTですけど、彼らはタバコ販売量が一九七五年ごろから頭打ちになった原因を、大人の人口の伸び率が鈍ったことと関連づけてます。なんでもかんでも少子化のせいにするのが昨今の流行りですけど、さすがにこういうときだけは、少子化のせいでタバコの消費が減った、とはいわないんですね。でも、タバコ消費の一割は未成年の購入によるものだとするデータもありますので、タバコ屋さんだって、こどもは多いにこしたことはないんです。

さて、こういう場合、社会科学系の学者がどう判定するかというと、データをパソコンにぶっこんで、どちらのデータがより関係が深いかを計算するのです。でも、それによって求められるのは、どこまでいっても、データの関係性が深いか浅いか、それだけです。

大人の人口伸び率のほうが関連が深いことが証明されたとしても、それで因果関係が証明されたわけでもないし、タバコと高度成長の関連を否定したことにもなりません。

仮にタバコと高度成長の関係が偶然だったとしても、みんなでいっぱいタバコを吸えば消費拡大になるのは事実ですから、本当に高度成長が再現できてしまう可能性もないとはいいきれません。私は吸わないんで、日本の経済発展に貢献できないのが心苦しいのですが。

百花繚乱・格差論

ここ何年か、格差についての本がいろいろ出てブームになってます。困っている人がいたら助けてやりゃあいいんです。単純な話でしょ？　江戸時代の長屋の住人は、学問なんか知らなくたって、みんなで助け合っていたというのに、現代では、格差のあるなしをデータで検証しないと助けてやれないってんですから、おかしな世の中になったもんです。

学者のみなさんが、なんの魂胆があって格差を調べてるのかは、ともかくとしまして、格差はあるという説、ないという説、両論かまびすしく飛び交っています。もし、真実がひとつしかないのなら、どちらかがウソをついているってことになりますね。

でも、そうではありません。どちらもそれなりに正しいデータにもとづいて主張しています。理系の学問では実験データそのものの捏造がときおり問題にされますが、社会科学ではデータ捏造ってのは、めったにありません。データの解釈が何通りもできるからです。

苦心してデータを捏造するより、データの切り口をちょいと変えるか、自分の都合のいい方向へ解釈をねじ曲げたほうが、はるかに簡単です。捏造データは否定されたらそれまでですが、解釈は否定されても議論の余地がありますし、データの切りかたに物言いがついたら、見解の相違だとつっぱねればいいのです。

古典的なたとえですが、ボトルにちょうど半分の酒がある、というデータから、まだ半分も残ってる、と楽観的な解釈を引き出すこともできますし、もう半分しかないと悲観的にとることもできるんです。

日本の格差論で、いま学者の間で支持を集めてるのは、「所得の少ない高齢のひとり暮らしや夫婦者が増えたので、日本全体で見ると、格差が実際よりかなりおおげさに開いたように見えるのだ」という分析です。

しかし、これとて、格差を世帯という単位で測ってみよう、というお約束で切り取られたデータをもとにした、ひとつの解釈にすぎません。しかも、この同じデータを使った分析では、二〇代・三〇代では所得格差はあまり見られないなんて結果も出てるんです。じゃあ、ニートも大卒正社員も所得は同じってこと？　そんなアホな。格差問題をマクロ的なデータで語ること自体に、どうもムリがあるようです。

それに、老人世帯の増加によって格差が開いているという説が本当なら、結論は明らかじゃないですか。格差解消には、親・子・孫の三世代同居が有効だってことになります。三世代同居という家族形態は、世代間の格差を、家族というカタチで吸収できる、とても理にかなった暮らしかただったってことです。私は、家族という共同体の持つ力を、ちょっと見直しましたね。

家に人が多いほど、留守になる確率が減るんですから、防犯上も有利です。年寄りに孫の面倒を見てもらえるとなれば、働く女性も安心してこどもを産めますから、少子化対策にもなります。古い絵巻物などの研究から、日本では、鎌倉・室町時代に、老人が孫の面倒を見るという習慣が成立していたとする説もあるんです。

現代の日本人は、家族は独立・自立・分裂しなければならないという、西洋流の固定観念に染まりすぎてるんじゃないですか。『サザエさん』だって『ちびまる子ちゃん』だって、三世代同居して楽しそうに暮らしてますよ。それどころか、昔の日本は、家の中に他人がいるのが普通だったんです。間借り人やら居候やら女中やら。

だいたい・そこそこ・なんとなく

一方、人道主義者の間からは、「貧乏は会議室で起きてるんじゃない、現場で起きてるんだ!」と社会現象の議論に明け暮れる学者に対するいらだちの声もあがります。学者にいわせれば、社会問題は人道主義とか感情論では解決しないんだとなるんでしょうけど、その考えかた自体が、間違ってるんです。格差があろうがなかろうが、いまこの瞬間に溺れかけてる人には、いますぐ浮き輪を投げてやらなきゃ意味がないんですよ。

家族で海水浴に行きました。ふと目を離したすきに、あなたのお子さんが沖まで流されてしまいました。お子さんが溺れてるのが見えます。あなたは浜辺で待機していたライフセーバーに助けを求めました。ライフセーバーは、ちょっと待ってください、といって海の家に集合して、溺れている人を効率的、かつ、公平に助けるための救助理論を、スイカ食べながら議論し始めました。……そうしたら、あなただって怒るでしょ？　いやあ、きみたちは感情に溺れず冷静な思考をしてるねえ、なんて誉めませんよね？　そういうことなんですよ。自分や家族が溺れていないから、悠長なことをいえるんです。

考えてみれば、格差とか貧困とかの問題を話し合う政府の審議会には、学者・政治家・官僚・社長といったリッチな人だけしか参加してないってのもヘンですよね。生まれてこのかた雪を見たことのない沖縄の人たちが、雪かきの効率的な方法を話し合って、北海道の人に教えてあげようとしてたら、だれもがツッコミ入れるでしょうに。いかに政治や学問の世界につっこみ力が足りないかを、ひしひしと感じます。

格差という状態をどうやって測ればいいのか、だれも正解を知らないんです。現実には、ひとの暮らしぶりは収入と資産、ふたつの要素で決まります。収入ゼロでも、親の遺産が一〇億円もあれば、一生リッチに暮らせる事実を考えれば、むしろ資産が格差を決めてるともいえます。

なのに、ほとんどの格差論議は、収入のデータだけを問題にしています。その時点で、すでに物事の一面しか見ていないわけでして、そこから導き出される因果関係も、

「だいたい」「そこそこ」「なんとなく」の域を抜け出ることはできないのです。

ポール・クルーグマンさんは、インフレ率と失業率がなんとな〜く関連してることを示すグラフの解説をしていて、「うるせー、これは物理じゃねーの、経済なの」と逆ギレしてホンネを漏らしてます。

社会学よりさらに数学的厳密さを求められそうなイメージがある経済学ですら、実際には、その法則のほとんどは、経験的になんとなく合ってるって程度でしかないってことを、世界的に著名な経済学者であるクルーグマンさんが自ら証言してくれました。正直な人です。そのうちきっと、森の泉から女神が現れて、正直者のおまえには、金の斧と銀の斧とノーベル経済学賞をあげよう、といってくれるでしょう。

社会科学では、純粋に客観的な理論なんてものがありえないんです。研究者も社会の一員なんですから、必ずなんらかの個人的利害に関係してるんです。明らかに自分が損をする理論に、肩入れするわけがありません。

あるデータを一〇〇人の人が見ると、一〇〇通りの理論がなんとな〜く生まれる可能性もあるわけで、人生いろいろ、正しさもいろいろ。いいかげんですね。

あ、いいかげんは、決して悪い言葉ではありません。世の中がすべて予定どおり動いたら、肩がこってしまいます。笑いというものは、ものごとが予定どおり運ばないとき、ちょっとズレたとき、そこに生まれるものです。予定調和的な管理社会は、理論的にはユートピアのはずですが、実際には恐怖や不安をおぼえます。なぜなら、それはズレや失敗を許さない社会、つまり笑いが存在しない社会だからです。そんな息苦しい社会に住みたかないですよね。

いいかげんを認めることは、他者への寛容につながります。他人や他の意見の存在を認め、ズレや失敗を許すことは、社会にとっても学問にとっても、いいことなんです。寛容な独裁者なんていませんよね。つまり独裁者ってのは、社会や人間のいいかげんさを許せない、完璧主義で心の狭い人なんです。

完璧な正解を出せるプロもいないし、シロウト考えが完璧に間違いだともかぎりません。世の中がもともといいかげんにできているおかげで、シロウトがデータを再検討して茶々を入れる余地が、じゅうぶん残されているのです。それなのに、プロの連中は、データの権威を楯にシロウトを黙らせようとします。冗談じゃない。さあ、シロウトのみなさん、勇気を持って、プロの意見につっこみを入れようではありませんか！

失業率と自殺率

犯罪学の研究をしている人は、毎日のように犯罪のデータをご覧になってるわけですよね。いくら仕事とはいえ、気が滅入らないんでしょうか。

犯罪ではないのですが、宗教によっては罪にあたるのが、自殺です。自殺統計ってのも、これまた気が滅入るデータですが、どういうわけか自殺の統計データは、けっこう古いものまで残ってます。

日本ですと一九〇〇年、明治三三年に統計を取り始めてます。西洋はもっと前からやっていて、フランスの社会学者デュルケームの『自殺論』って有名な本が出たのが、一八九七年ですか。この本は、その二、三〇年くらい前からの統計をもとに書かれてます。

なぜそのころ自殺に興味がもたれ始めたかといいますと、産業革命に端を発する経済の急速な発展とともに、自殺者数も急増し、社会問題となっていたからです。といいましても、それ以前の信頼できる統計があまりないんですが、逆にいえば、統計がないってこと自体、それまで自殺は問題視されるほど起きてなかったという証拠ととることもできます。それに、世界保健機関は、現代でも、発展途上国の工業化が進むと自殺率も高くなるといってますから、経済発展が自殺を生むという説も、あながち根拠がないわけじゃありません。

近頃ようやく、日本は不景気のトンネルから抜け出しつつあるといわれてますが、不景気まっ只中の数年前、ある政治家がテレビでこんなことをいってました。「平成一〇年には、失業率が四パーセントを突破し、自殺者が急増した。自殺率と失業率には密接な関連があるのだから、一刻も早く、景気を良くしなければならない」。

私は、そういう発言をした政治家と、彼に入れ知恵したであろう経済学者か社会学者に腹がたちました。あんたら、ずいぶんヒドいことをいうね、と。

なにがヒドいのか？　自殺率と失業率に関連があるといいますけど、その因果関係はどうなってるんです？　タマゴが先か、ニワトリが先か、どっちがどっちなんだ、ってことですよ。

だって理論的には、失業者の絶対数が減れば、当然、失業率は下がりますよね。てことは、失業者がどんどん自殺すると、失業率が下がって、景気が回復したように見える、という悪魔的なシナリオも成り立つんです。だとしたら、失業率の数字が下がったとしても、素直には喜べません。

アメリカの作家ドナルド・E・ウエストレイクさんが書いた、『斧』というミステリー小説をお読みになりましたか？　ある失業者が、自分の再就職を有利にするため、自分と同じ能力・経歴を持つライバルの失業者を次々と殺していく、コワい話です。殺人により失業率を改善してしまう荒技ですが、荒唐無稽どころか、主人公がごく普通のまじめなおじさんとして描かれていて、現実味があります。ヘタなホラーよりもゾッとします。

もっと強力な特効薬は戦争です。戦争が始まれば、失業率なんて意味がなくなりますけど、じつは自殺率も大幅に下がることが、世界のどの国でも確認されています。ただし、皮肉なことに戦争が終わった途端、どういうわけか自殺率が急増するのも事実です。

ちなみに、殺人事件の発生率も戦後に上がる傾向があるようで、しかも、こちらは戦勝国、敗戦国のどちらにも見られる現象だとする研究があるんですから、人間ってのは、理屈に合わないことばかりするんです。

まあ、こういったコワい考えは、かなりうがった見方ですけど、仮に、景気回復によって失業率が低下し、自殺率も下がるという正統派の法則が成り立つにしましても、だから失業率の改善が大事って主張には、どうしても、違和感が残るんです。

いままさに自殺しようとしている人や、溺れかけてる人にむかって、「おおい、待ってろよー、いま景気を良くしてやるからなー」って、それで人助けをしてるつもりなんですかね。

景気なんていう、数字の羅列でできた経済の枠組みを維持するのが先決で、切れば血が出る生身の人間は、ついでに救ってやれれば御の字だ、みたいなね、いかにも頭でっかちな優等生が考えそうな、いけすかない考えかたに、私は虫酸が走るんです。

受験秀才が学者になって社会学とか経済学をやると、川の流れこそが大切で、一滴一滴の水滴はどうでもいいみたいな、マクロ社会理論や社会システム論信仰に走りがちなところがあるんです。私は、どうしてもそこについていけません。ときとして社会科学に人間性が感じられないことがあるのは、人間を信じていない学者が多いからです。

東大生は他の大学生よりも、こどものころにイジメにあっていた確率が高いという調査結果がありましたけど、ひょっとしたら、アタマのいい人ほど、こどものころのトラウマから世間のバカな庶民を憎んでいて、社会理論で人間を支配しようとしたがるのかもしれません。

でも、個々の人間同士の関わりでしか解決できないことって、たくさんあるんですよ。

ちょいウザのすすめ

電車の中で若い女の子が平気で化粧することを叱るコラムやエッセイを、しょっちゅう目にしますよね。私はむしろ化粧をする女より、ああいうコラムを書く人に、無性に腹がたつんです。ああいうのを書く人って、人間同士の関わりを拒否している、人間不信の社会システム論信者だからです。

個人的には、電車での化粧は気にならないんですが、音漏れヘッドフォンは気に障るので、あんまりうるさいときには、「すいませんけど、ボリューム下げてもらえます?」と頼みます。

公共の図書館でしょっちゅう調べものをするんですが、そこでおしゃべりしたり、やかましい音たててる人ってけっこういるんですよね。よくあるのが、ルーズリーフのペラ一枚だけを机において、凄い筆圧で叩きつけるようにノート取る人。コンコンコンコン、ってかなりの騒音なんですが、あれ、本人はまったくうるさいという意識がないんですね。だから、静かに書いてくれませんかと頼むと、ちょっとビックリした顔します。

そんな、ちょいウザおやじの私ですが、ちょいウザおやじの頼みに、たいていは応じてくれますね。ちょいウザのコツは、気づいたらなるべく早く、さらりと、そして具体的にお願いすることです。

そのうち相手がやめてくれるだろう、とガマンにガマンを重ねて、耐えきれなくなってから注意すると、どうしても、抑えていた怒りの感情が表に出てしまいます。昔の東映任侠映画みたいなもんです。高倉健さん演じるヤクザは、理不尽な仕打ちを受けてもガマンを重ねるのですが、ついにぶち切れて殴り込みをかけて血しぶきが飛ぶというね。ご近所や図書館で、血しぶき飛ばしちゃあ、いけません。

ガマンしてずっと何もいわないでいると、相手は自分の行為が容認された、べつに周囲に迷惑はかけてないと判断してしまいます。そうなってから注意すると、え、いまさらなんで？　とヘソを曲げてしまうのです。だから、ちょいウザはなるべく早く、さらりとがコツで、相手が応じない場合は深追いしないことです。ちょいウザに命を張るほどの価値はありません。

でも、口に出して相手に伝えなきゃ、問題は永久に解決しません。身振りやしぐさで九割伝わるだなんて本がありますけど、それが本当だったら、とっくの昔に日本語は消滅して、いまごろ日本人は全員パントマイムで意思疎通を図っているはずです。弁護士と検察官と裁判官がみんなでパントマイムやってる裁判って、傍聴したいですよねぇ。いや、笑いごとじゃありません。裁判員制度が始まって、裁判員に選ばれたら大変ですよ。まずは、中村有志さんにパントマイム習いに行くところから始めなきゃならないんですから。

あと、注意をするとき具体的にってのは、「うるさい」「やかましい」ではなく、ボリュームを下げてくれみたいに、してほしいことを具体的に頼んだほうが、相手も受け入れやすいってことです。私は団地の一階に住んでまして、芝生で遊ぶガキがいてうるさいときは、注意します。そのときも、ここで遊ぶな、あっちに広場があるから、そこへ行け、と具体的に誘導します。

そんなわけで、若者のマナーを叱るコラムを目にするたびに、それほど不快に感じるなら、なんでこの人、その場で本人にいわないのかな、って不思議でならないんですね。電車の中で化粧するような女の子は、新聞やオッサン向け週刊誌のコラムなんか絶対読まないんですから、書いてもムダでしょ？

そういう問題は、不快に感じた人が、相手に直接話しかけて、オレはいま凄く不快なんだ、だからやめてくれ、と自分の気持ちを伝えることでしか解決できないんです。個人の行動、個人と個人の対話で解決すべきことなんです。それを社会問題みたいなデカい話、マクロな話にすり替えること自体、ごまかしだし、コラムで世間に訴えることで若者の行動を改善できるのだ、なんて考えてるとしたら、妄想プロフェッショナルです。

電車で化粧する子をコラムで批判するおじさんたちは、エラそうなこといってますけど、実際には、見ず知らずの他人に話しかけることもできない小心者なんです。そりゃ、相手が、これ見よがしなパンチパーマのおっさんとか、亀田兄弟みたいな顔してたら、私だって見て見ぬふりしますよ。亀田兄弟は、たぶん電車で化粧しないと思いますけど、でも、相手は若い女の子なんでしょ。注意したところで、シカトされるか、うぜーんだよ、キモいんだよ、とののしられるくらいが関の山なんですから、マゾのかたなら積極的に、そうでないかたもそれなりに、注意してみたらいいじゃないですか。

近所のこどもを叱れないオトナが増えたといいますが、それも結局は、自分の気持ちを赤の他人に伝えようとしない、伝えてもムダだ、ってあきらめてる人間不信のオトナが増えたってことなんですよ。でもカン違いしちゃあ、いけませんよ。昔のオトナが社会道徳や公共心に満ちあふれていたというわけじゃないんです。

昔の人は、いい意味で自分勝手だったんです。近所のガキがやかましいと自分が感じたとき、近所のガキがタバコ吸ってんのを見て、生意気だと思ったとき、自分の気分をストレートに伝えていただけなんです。べつに、近所のこどもを教育することによって、社会道徳の衰退を防ごう、とか、こどもたちの健康を増進しようなんて、おせっかいな考えに基づいて行動してたわけじゃなかったんです。んな、下町の貧乏オヤジが、そんな高尚なこと考えてたわけないでしょうが。

戦後、日本では個人主義が重視されすぎて、自分勝手な人が増えたと、まことしやかに語られますけど、私はその説、うさんくさいと思ってます。自分、家族、ご近所という、顔の見える人間関係が大事だった昔の人のほうが、いまよりよっぽど、世界の中で自分自身が占める割合が大きかったはずです。昔のほうが、自分勝手な人はたくさんいたんです。ただし、いい人も悪い人も、みんなが自分勝手だったから、いい勝手と悪い勝手がぶつかり合って、うまい具合にすり合わせていたんでしょう。

現代人は、ヘンに学がついたもんで、自分を抑えて、社会全体のことや、社会理論・社会道徳なんてことをまっ先に考えて、知的で文化的で紳士的な態度をとらねばならない、なんて思いこむようになりました。その結果、自分勝手な人は、むしろ昔より減ったんです。

でもそれがいいことだったかどうかはわかりません。昔は「いい自分勝手」だった人が、現代では単なる「いいひと」になってしまった結果、抑止力がなくなり均衡が崩れ、一部の自分勝手な行動をする人が目立つようになったんですから。

「常識」こそ危険

えー、話がずいぶん脱線しました。自殺と失業の件に戻しましょう。

自殺率と失業率の関連というのは、社会科学系の人たちの間では、すでに常識とされていて、疑う人はほとんどいません。さあ、出ました、「常識」ですよ、みなさん。

なにやら、不穏な空気を感じませんか。平成一〇年に自殺者はたしかに急増しています。事実です。同じ年に失業率が急増しました。これも事実です。そこで多くの学者が、両者をあまりにも安易に結びつけてしまうことに、私は驚きを禁じ得ないのです。それって、タバコと高度成長を関連づけた統計漫談と変わんないじゃない。

選挙で落選した議員が、失業のショックでかたっぱしから自殺してますか？　大学や研究機関をクビになった学者が、みなさん自殺してますか？　しませんよね。それが常識ですよね。一般人だって、失業したからという、それだけの理由で自殺を選ぶことは、常識とはいえません。それが、どういうわけか、たまたまデータが一致した途端、すべての現実や常識は神隠しにあったように姿を消し、自殺と失業の関連が常識として、取って代わります。

さあ、相手にとって不足はありません。つっこみ力の基本のひとつ、「勇気」が試されるときです。権威ある人たちが盲信している常識こそ、疑いましょう。そこで、データにより証明済みの常識とされる自殺と失業の関係に、大胆にもデータを使ってつっこみを入れてみることにします。

判断するのは人間

自殺率と失業率の研究に関する文献に、ざっと目を通しましたけど、結局みなさん、二つの数値をコンピューターにぶっこんで、統計的な関連があるかどうかを計算しただけなんです。それで両者の関連は有意——関連があると認められた、とおっしゃいますが、それって、だれが認めたんですかね。人間？　それともコンピューター？

しかも、たいていの論文は、「両者の関連のメカニズムについては、詳細な研究が待たれる」とかいって、データや数字で解析できないところの判断は、みなさん、他人に押しつけて逃げるのです。

じゃあ、ってんで、データで語れないところに踏み込んで発言すると、途端に「データを出せ！」って吊し上げを食うから、それが怖くて誰も足を前へ出せません。みんなデータを駆使しているつもりが、皮肉なことに、いつのまにかデータの顔色をうかがうばかりで、思考停止状態に陥ってるんです。

経済学者のディアドラ・N・マクロスキーさんは、統計データを解析しただけで学問したつもりになっている学者が増えている現状を批判しています。データの計算結果をどう考え、どうやって社会に活かしていくべきかは、最終的には人間が判断しなければいけないんだと、ごくあたりまえと思える忠告をしています。人間、あまりお勉強をしすぎると、逆にあたりまえのことを忘れてしまうものなんですね。

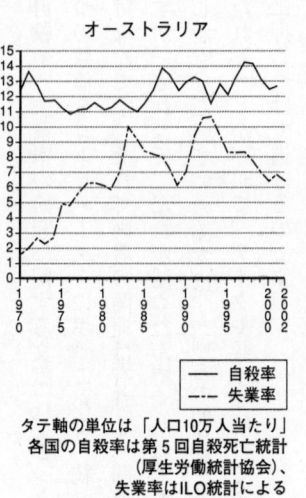

世界各国の自殺率

では、こちらのグラフをご覧ください。

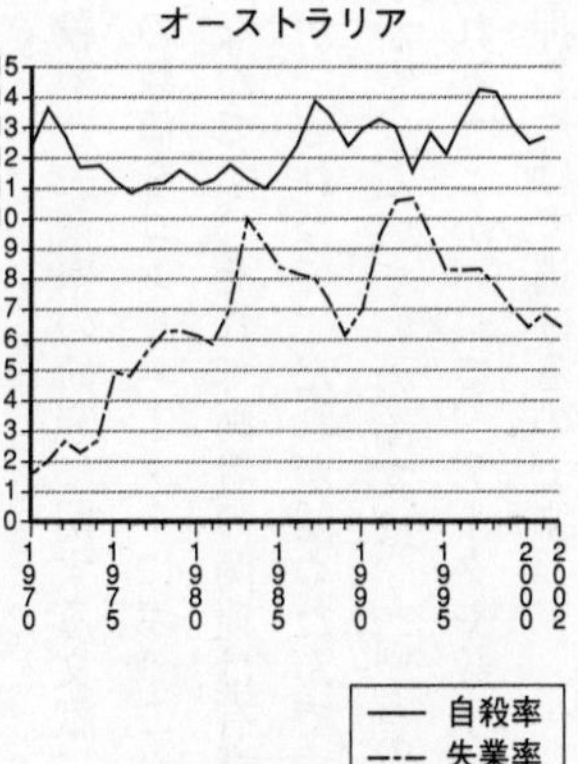

タテ軸の単位は「人口10万人当たり」
各国の自殺率は第５回自殺死亡統計（厚生労働統計協会）、
失業率はILO統計による

このように、たしかに、自殺率と失業率はほぼ完全に連動していま……あ、すいません、間違えました。こっちです。

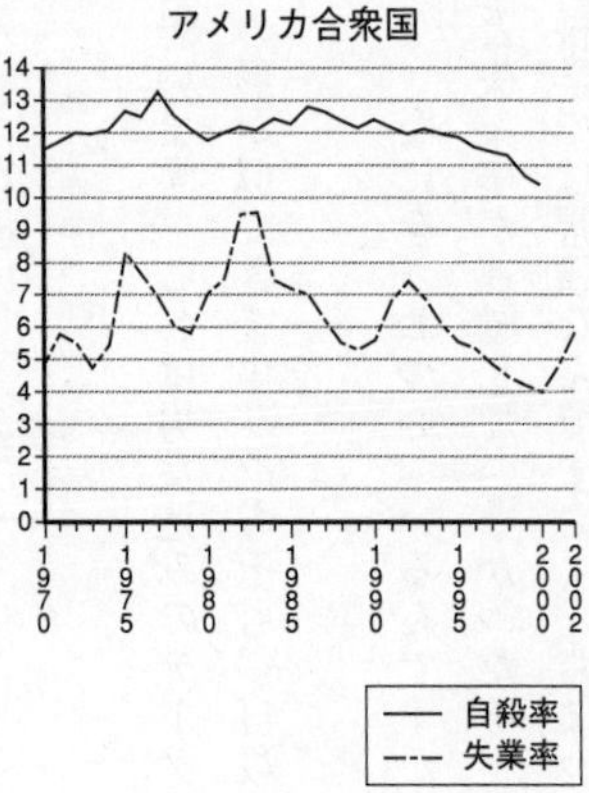

えー、このように、完全に……あれ？　これでもないでしょ、しょうがないな、係の人、ちゃんと指示通りに用意しておいてもらわないと……まったく、バイトだからって適当な仕事ばっかりしてると、いつまでたっても立派な社会人になれませ……

そうそう、これ（次頁）です。さっきのグラフは忘れてください。過去は振り返らず、未来だけを見つめて前向きに生きましょう。

このように、自殺率と失業率はほぼ完全に連動していることがおわかりいただけた

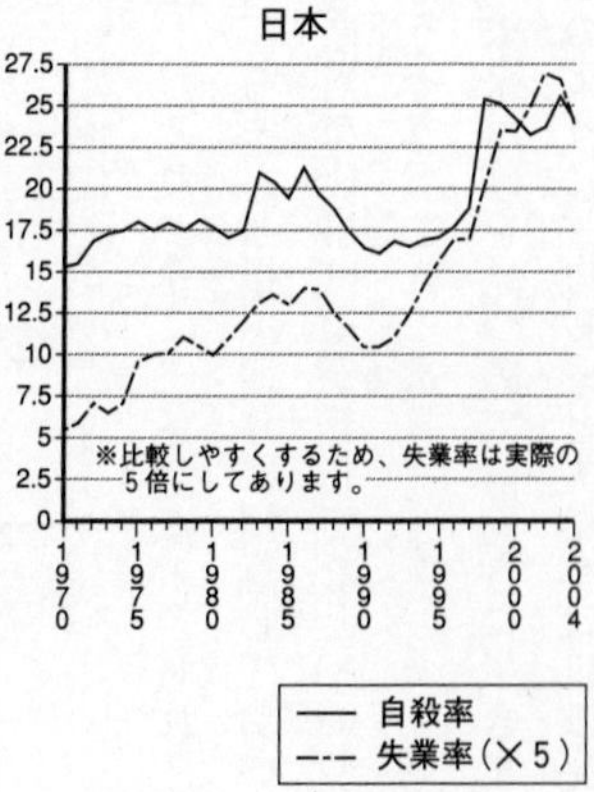

かと思います。これは男女込みのデータですが、男だけをグラフにすると、もっとグラフの形が似てきます。そもそも、自殺をするのは古今東西、圧倒的に男が多いんです。

ん？　なにをざわついているんですか？　さっきのグラフをもう一度見せろ？　自殺率と失業率が連動していなかったぞ、って、またまたぁ。失業率と自殺率の関連は、社会科学では常識なんですよ！　ちぇっ、これだからシロウトは困るよなー。ちゃんと勉強してから、ものをいってもらいたいよ！

……気づいちゃいました？　気づいちゃいましたか。そうなんです。自殺率と失業率の関連は、国ごとでかなり異なるのです。ついでですからフランスとイタリアもご覧になってください。

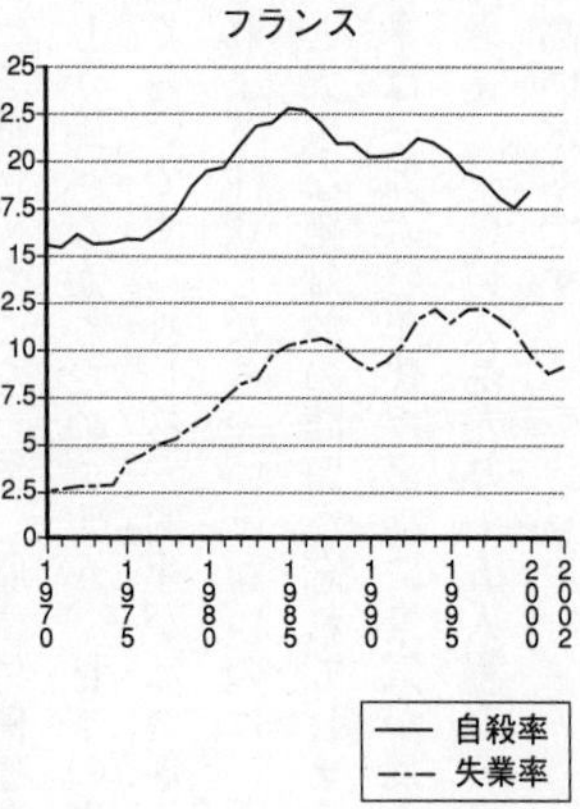

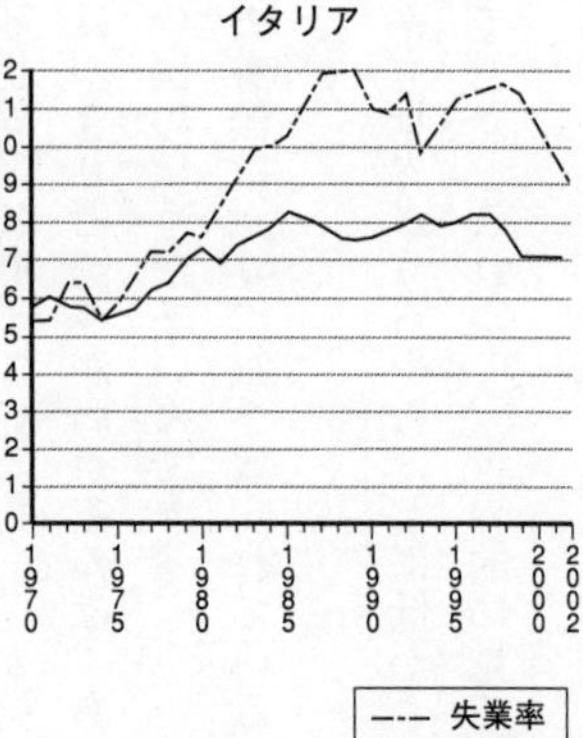

日本とフランスは、ひと目でその関連がわかります。イタリアもまあ、似てるといっても差し支えないでしょう。それに比べて、オーストラリアやアメリカでは、関連性はかなり薄いのです。男だけのデータにしても、あまり似てません。

海外の過去の失業率データって、けっこう適当なんですよ。まとまったのがあまりないし、途中で統計の取りかたがころころ変わる。昔の失業のデータなんか調べてどうすんだ、失業ってのはいまの問題だろ、って考えなんですかね？

だから面倒くさくなって、厚生労働省の自殺死亡統計に載っている約一〇か国についてしか調べなかったのですが、日本のようにはっきりと関連がわかるのは、あとは韓国くらいです。むしろ、関連がはっきりしない国のほうが多いんです。

それより注意しなきゃいけないのは、関連性の有無ばかりに気を取られていると、もっと大事な絶対値の問題を忘れてしまうことです。

日本は一九六〇年代、最高に景気が良く失業率も世界がうらやむほどに低かったころでさえ、一〇万人あたり一五人程度の自殺率でした。これって、世界的に見てもかなり高い水準です。

イタリアやイギリスは過去三〇年間の平均で、一〇万人あたり七人くらい。どちらの国も、日本よりかなり高い失業率がずっと悩みの種だった国です。彼らからすれば、失業しただけで自殺するなんて考えかたは不可解です。

逆に、昔から知られるのが、旧共産圏の自殺率の高さです。失業がないはずの共産主義国家で、以前から自殺が非常に多かったというのが、なんとも皮肉です。

有名なのが、ハンガリー。過去三〇年平均で、一〇万人あたり三八人と、かなりの高率です。なぜかというのは、よくわかっていません。高橋祥友さんはハンガリーを訪れた際に、現地のお医者さんに理由をたずねています。その人は、国民性として、自責の念がとても強いことと、演劇・文学などで自殺を美化する傾向があること、など内向的な特徴をあげています。

でも同じハンガリー人でも作家のケレストゥリさんにかかると、むこうみず、無秩序、破壊的激情を秘めた国民性だという、攻撃的な分析になります。

世界六〇か国でアンケートを取った世界価値観調査の中に、自殺の許容度という項目があります。「まったく間違っている」から「まったく正しい」までの一〇段階から選ぶ形式ですが、自殺は「まったく間違っている」に丸つけたハンガリー人は七八パーセントもいました。決して自殺を美化してなどいないんですね。やっぱり、いけないもんはいけないと思ってます。

ちなみに「自殺はまったく間違い」とした人、日本は四四パーセント、自殺が少ないイタリアは六〇パーセント。自殺を許容する度合いと実際の自殺率もあまり結びつきません。

どうも国民性なんてものは、あてにはできないようで、だいたい、同じ親の腹から生まれ、ひとつ屋根の下に育った兄弟だって、性格が違うんです。ましてや全国民が同じ性格なわけがないんです。

もうひとついえるのは、数学や物理学や化学は万国共通の法則が使えますが、社会科学では国が変われば法則も変わってしまうってことです。たとえば、少子化がなかなか解決しないのは、スウェーデンやフランスで成功した少子化対策が、日本でも有効だとはかぎらないからなんです。

お子さんに「あのおもちゃ、みんな持ってるからボクにも買ってよー」とおねだりされたとき、日本のお母さんは、「ウチはウチなの！」といってはねつけますけど、お母さん、社会科学の基本をよくわかってらっしゃる。ウチはウチ、よそはよそ。万国共通の法則はないんです。

日本国内での比較

今度は日本の県別データをご覧ください。

県別のデータを比較するのに、使い勝手のいい資料があります。総務省統計局が出している『社会生活統計指標』です。基本的なデータはたいてい載ってますから、一度ご覧になってみるとおもしろい発見があるかもしれません。なかには、県別の横断歩道の数みたいな細かいネタもあります。こんなの警察がちゃんと調べてることに感心しますけど、それをチョイスした統計局職員のセンスもおもしろい。

統計局の職員は、国勢調査の前になると、調査の成功を祈願するため富士山に登って、浅間大社でお祓いをしてもらうんだそうです。それなのに、ちかごろは国勢調査の回収率が下がったと問題になってます。なんでも、マンションのセキュリティーがきびしくて、用紙を回収に行けないんだそうです。最近のホームセキュリティーってのは凄いですね。泥棒どころか、神頼みまで跳ね返すんですから。

県別比較

さて、『社会生活統計指標』の県別失業率はその「国勢調査報告」からの数値なので、残念ながら自殺が急増した平成一〇年、一九九八年のデータはありません。そこで、その前後、九五年と二〇〇〇年のデータを見てみましょう（二一四ページ）。

完全失業率　2000年

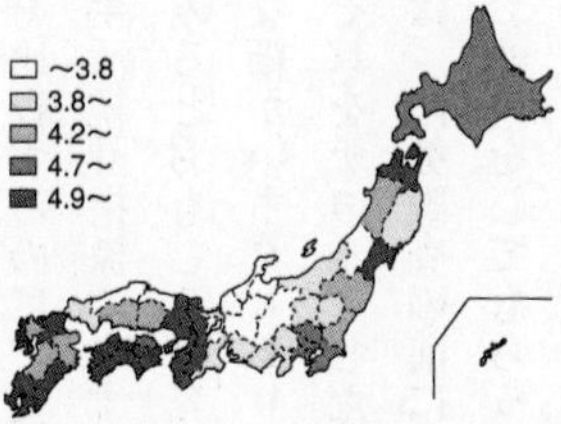

国勢調査報告による

完全失業率　1995年

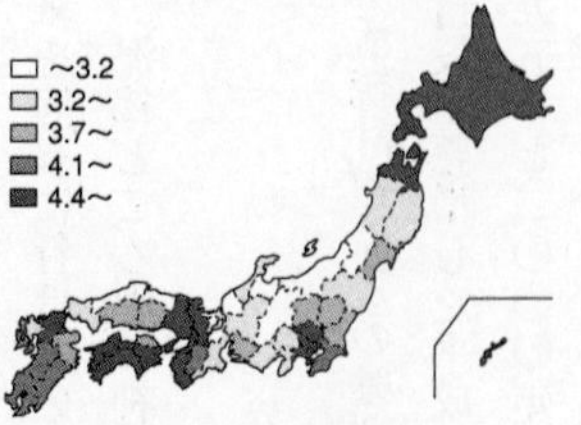

国勢調査報告による

自殺者数（人口10万人あたり）2000年

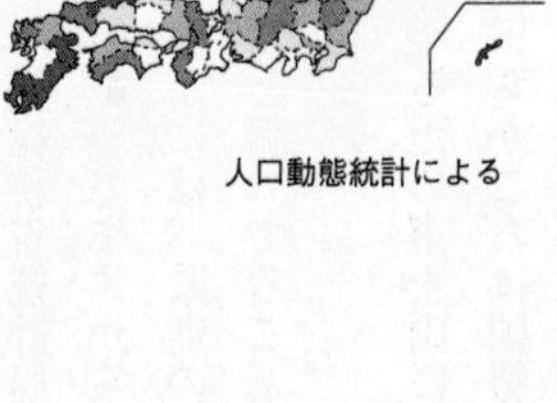

人口動態統計による

自殺者数（人口10万人あたり）1995年

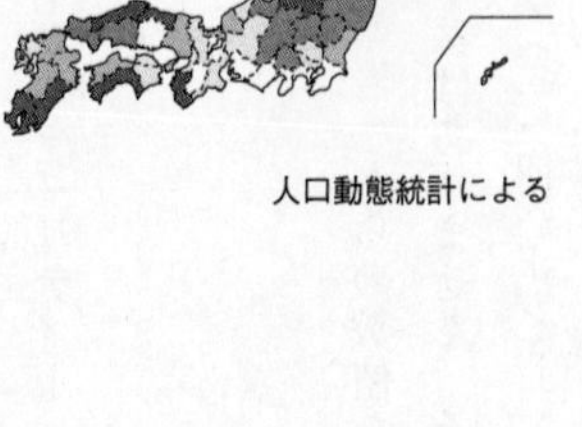

人口動態統計による

どうです。みなさんには何か法則が見えますか。そんな、親の敵《かたき》を食い殺そうみたいな形相で、無理に見つけようとしなくたっていいじゃないですか。

失業率の高さと自殺率の高さは必ずしも一致するわけじゃない、県によってバラツキがある、としかいえません。これも県民性？　日本人は県民性とか血液型とかで人を型にはめるのが好きですからね。というか、自分はこういう人間だ、と型にはまることで安心するんでしょうね。

森永卓郎さんは、県別の失業・自殺の関係から、「県別ラテン指数」なるものを計算しています。失業が多いのに自殺が少ないイタリアや南米各国にあやかって、同様の傾向を示す県をラテン系としています。

お遊びの計算なので、何年のデータを使ったのか、はっきりしませんが、失業が多いわりに自殺が少ないラテンな県は沖縄、奈良、徳島、大阪、神奈川の順。逆に、失業がそれほどでもないのに自殺が多いのが、秋田、島根、新潟、岩手、宮崎、だそうです。

日本の自殺率

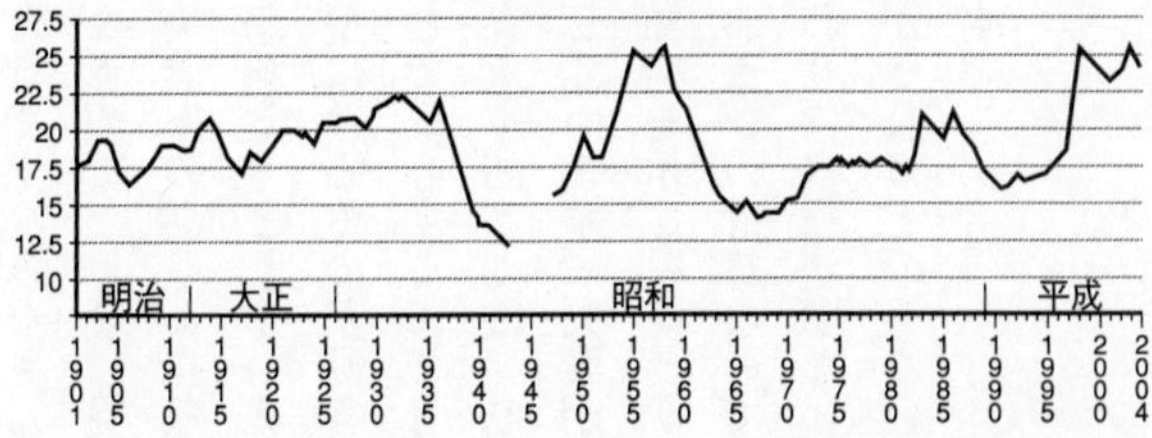

人口動態統計による

過去との比較

ついでといっちゃなんですが、過去のデータもご覧に入れましょう。

戦前は激しい増減はないものの、つねにかなり高い自殺率をキープしていました。一方、戦後は突然跳ね上がっては急に下がる傾向があります。

こういうグラフを見ますと、たしかに平成一〇年の増加はかなり異常なんですが、戦前のデータと比べると、新たな疑問が生じます。

戦前、昭和五年ごろの日本は、世界恐慌に端を発する未曾有のデフレ不況にあえいでいて、そのヒドさは平成デフレとは比べものにならなかったと伝えられています。街には失業者があふれたといいます。昔の失業統計はあてにならないし、失業率の出しかたもいまと違うんですけど、一応『日本経済統計集』のデータを参照しますと、失業率は五パーセントを超えてます。昭和五年の失業者が三七万人、翌年には四〇万人以上。でも当時のことを知る人にいわせれば、そんなもんじゃなかったそうで、大宅壮一は昭和五年の『中央公論』に、実際には一〇〇万をはるかに突破しているだろうと書いてたくらいです。

そのくらいひどかったんです。でも、そのわりには、急激に自殺率が上昇した様子は見られません。戦前のほうが、失業保険とかのセーフティーネットがなかったんですから、いまより失業のダメージが大きかったはずですよね。いまよりもっともっと格差社会で、貧乏人はまさにその日暮らし。昔の貧乏ってのは、餓死と隣り合わせでした。なのに戦前の日本では、失業が急増したからといって、即、自殺の急増にはつながらなかったのです。不思議に思いませんか。

いまの日本は、しあわせです。養老孟司さんは、ホームレスでも飢え死にしない豊かな社会になったのに、失業率が高いと騒ぐのは、わけがわからんと書いてましたけど、まさにそこが、不思議なんです。

ヨーロッパでは、失業率一〇パーセントなんてのも珍しくありません。それよりはるかにましで、国内総生産も高い豊かなはずの現代日本で、失業したからといって、なぜ自殺しなきゃならないんですか。平成一〇年に自殺が急増したのは、ホントに失業の増加が理由なんですか。まったく理屈に合いません。

失業しても自殺、職にありついたらありついたで、今度は過労自殺。景気が良くても悪くても、自殺が多いのが日本です。国民の生きる気力を萎えさせる日本の社会って、いったいなんなんですかね。こどもたちに、生きる力が大事だなんて教える資格のあるオトナがどれだけいるんですか。

失業率と自殺率の相関関係を発見してワーイワーイでは、ある種の思考停止です。そして学者のみなさんは、相関関係があるから、自殺をなくすには失業をなくそう、とおっしゃる。ほらね、みなさん、データ教の信者になっちゃってるんです。

発想を変えましょう。相関関係とは、たまたまそうなっているというだけのことなんだから、それを断ち切ってしまえばいいのです。

要は、失業しても死なずにすむ社会にすればいいってことですよ。そう考えるほうが、結果的により多くの命を救えるのではありませんか。

でも、どうやって？　そう、単なる批判や否定にとどまらず、新たな付加価値を見出すのが、つっこみ力の心意気です。自殺の理由・原因から、どうすれば自殺しないですむ社会になるかを、探ってみましょう。

それでは真の原因は？

データをさんざんこねくり回して、ぐだぐだいっといてナンですが、自殺の真の原因も、平成一〇年の急増の理由も、すでにわかっているんです。

警察庁の調べによれば、自殺の原因は圧倒的に、健康問題、それも老人によるものが多いんです。それに次ぐ原因が、経済生活問題で、このツートップが、自殺原因の七割近くを占めています。

グラフ（二二〇ページ）の九七、九八年——つまり平成九、一〇年のあたりをごらんいただきたいのですが、腑に落ちないところがあります。経済生活問題だけがアップしているのなら、そうか、平成一〇年の自殺率アップのおもな原因はやはり失業だったか、と素直に納得できるのですが、健康問題も同じように急増しているんですから、謎は深まるばかりです。

本日は健康問題は脇においときまして、肝心の経済生活問題に絞ります。平成一〇年の自殺原因について警察庁がマスコミ向けに発表した内容には、その内訳が示されています。

経済生活問題を原因とする自殺者　六〇五八人中

負債　　二九七七人

事業不振　一一六五人

生活苦　　七三五人

失業　　　四〇九人

（出典・『朝日新聞』一九九九年七月二日）

自殺の原因

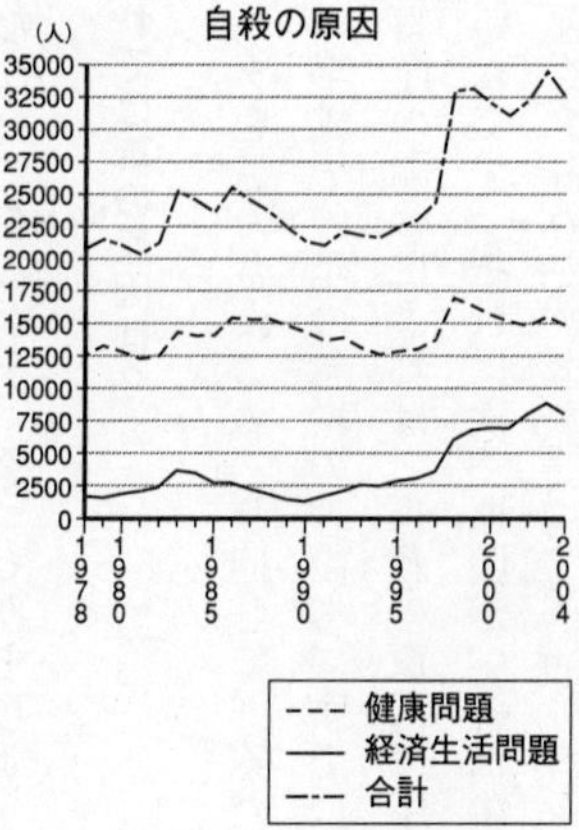

警察庁統計による

やはり思ったとおりでした。失業そのものを苦にして自殺する人は、あまりいないのです。現実には、失業して借金が返せなくなったことで自殺する人が多いわけで、日本人を自殺に追いやる真の理由は、負債、借金だったんです。

［頭にアンテナをつけたタイツ姿の中年男性、登場］

「おいおいおい、ちょっと待ちたまえ。さっきから黙って聞いてりゃあ、自殺の原因、原因って、そんなもん、当人が死んじゃってるのに、誰に訊いたのよ、あんたはイタコかよ」

なるほど、ごもっともなつっこみで……って、あんた誰？

「私は、客観マン。客観的なデータを武器に、主観的な思いこみを地球から一掃するために、オブジェクト星雲からやってきた正義の使者だ」

はあ、そうですか。遠いところをわざわざどうも。

「さっきの自殺の原因だがね、警察庁の統計では、遺書のないものまで原因別に分類されてるね。それって、ずいぶん主観的だよね」

それもまた、ごもっともなつっこみで。じつは、同じつっこみをしたかたがいらっしゃいます。橋本康男さんは、国立精神神経センターの研究報告書に、その辺の事情を警察に問い合わせた経緯を記してます。遺書のない自殺に関しては、現場の担当警察官が、遺族や周囲からの聞き込みによって分類しているのだそうです。

「そんな主観など、あてにならん！　データだ、失業率と自殺率のデータこそが客観的な真実を語っているのだ」

うーん、しぶといなあ、客観マン。高橋祥友さんは、平成一〇年以降、自殺原因で経済生活問題が増えたのは、それを分類した現場の警察官が、「未曾有の平成大不況」みたいなマスコミのうたい文句に影響を受けた可能性があると指摘してます。そう、むしろ現場の警察官の主観は、経済問題を重視しすぎる方向へ偏ってたわけで、客観的な判断を重視する客観マンなら、経済問題による自殺は、実際にはデータよりもっと少なかったはずだ、と考えなければいけないんです。

「いやいやいや、そもそも原因なんて抽象的な要素を分析に使うのは、まやかしにすぎんのだ」

しつこいですねぇ。

「ああ、しつこいさ。こないだスピリチュアルカウンセラーに見てもらったら、前世は便器の黄ばみ汚れだったといわれたよ」

宇宙人にも前世があるのかどうかはさておき、こちらは職業別の自殺者数に注目します。問題の平成九年から一〇年にかけて、無職者の自殺はおよそ三七〇〇人も増加しました——。

「そら見たことか」

いいえ、早とちりはいけません。警察の自殺統計での無職者とは、失業者・ホームレス・その他の合計なんですが、このうちのほとんどが「その他」です。その他ってのは、仕事をしてない老人のことなんです。失業率と関連のある、本当の意味の失業者は、自殺した無職者の中の、たった一割にすぎません。

職業別のデータには、警察官の判断が入る余地はありません。このデータからも、自殺と失業の関連がかなり誇張されたもの、もしくは偶然の一致にすぎないことが示されています。客観マンも、もう意地をはらずに、自殺の真の原因は失業ではなく負債、借金なんだと認めてはいかがですか。

「ちきしょう……あっ、そろそろ店に戻らないと。さらば！」

［客観マン、舞台袖に消える］

昨夜に引き続き、西落合シェークスピア愛好会のかたにお越しいただきました。普段はスナックのマスターをやっておられます。

住宅ローンの闇

さて、そうなると、次なる疑問にぶち当たります。なぜ日本人は借金ごときで自殺するのでしょう。警察も、さすがに借金・負債の内容までは公表してません。自殺者が抱えていた負債の額と内容を調べれば、かなり有意義な結論が得られるはずなので、ぜひ詳しい調査をお願いしたい、とだけいっておきまして、私にはひとつ思い当たるフシがありますので、それを述べさせていただきます。

日本人が自殺しなければならないほどの借金をするといえば、それはもう、住宅ローン以外にありません。なぜなら、貯蓄動向調査や家計調査の結果でも、勤労者世帯が抱える負債の九割が、住宅・土地のためのものであることがわかっているからです。

これは、平成一五年の『国民生活白書』に載ってるグラフです。代位弁済の件数というのは、ここではとりあえず、住宅金融公庫から借りた住宅ローンが返せなくなっ

住宅金融公庫などの代位弁済

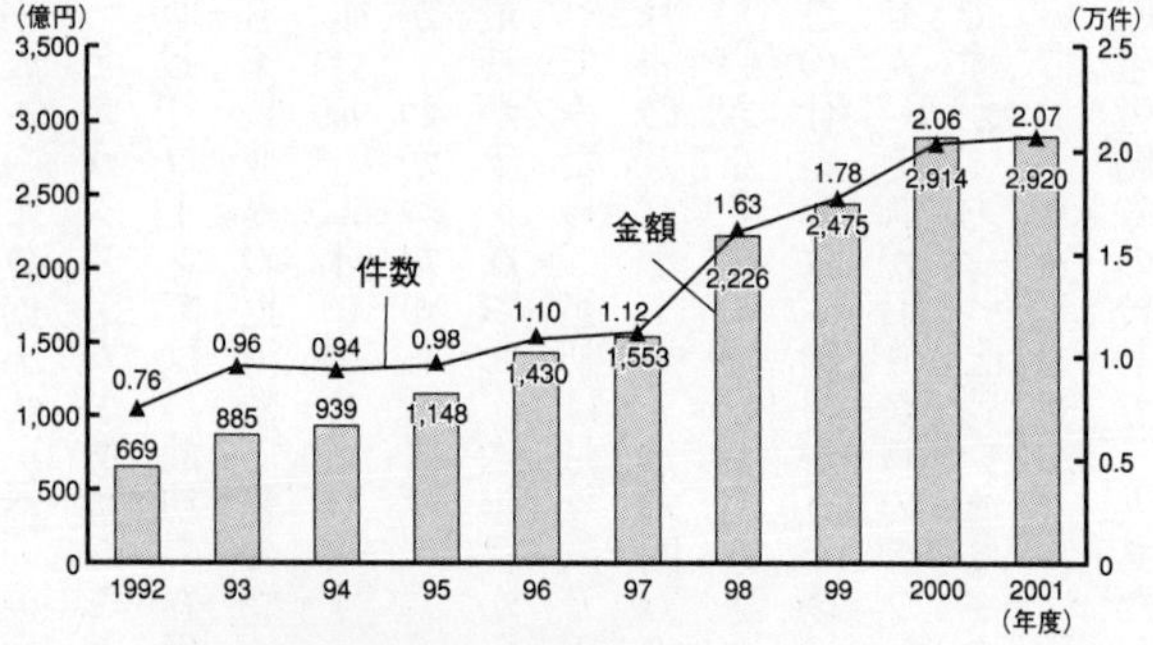

(備考) 1．(財)公庫住宅融資保証協会資料による
2．住宅金融公庫などの代位弁済件数及び金額の推移
3．対象は、住宅金融公庫、沖縄振興開発金融公庫及び年金資金運用基金へ、(財)公庫住宅融資保証協会が代位弁済したもの

出典・平成15年国民生活白書

た件数、と思ってください。それが、一九九八年、つまり平成一〇年に急増しています。おお、自殺の急増とときを同じくしているではありませんか。

そんなの偶然だ？　それこそなんで住宅ローンの返済に行き詰まって自殺しなきゃならないのか？　そんな不満の声が、失業原因説の支持者から聞こえてきそうですが、自殺と失業の関連のメカニズムだって証明できないクセに、他人の説にだけケチをつけてはいけません。まあ、ひとつの仮説と思って、話を聞いてください。日本では、住宅ローンが人を自殺に追い込む仕組みになってるんです。

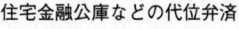

平成一〇年急増の陰には、平成五年ごろに公庫が大量に貸し出した「ゆとりローン」というシステムがあったことは、住宅関連業界では有名な話です。

ゆとりローンでは、最初の五年は返済額がとても低く抑えられていたので、貧乏人でも家賃並みの返済額で夢のマイホームが持てる、と評判のいいシステムでした。しかし平成一二年に廃止されます。夢のように思えたシステムが、じつは悪夢だったことが、わかったからです。

最初がラクなぶん、六年目から返済額は二倍近くまで跳ね上がるのです。具体例を調べてみたら、当初は月々六万円、ボーナス月三七万円の返済だったのが、六年目から月一〇万、ボーナス月六四万の支払いになったケースがありました。年間の返済額が、いきなり約一〇〇万円もアップするんです。

この仕組みは、給料が五年後に大幅アップしていることを前提にしないと成り立ちません。それがおりからのデフレ不況で給料が上がらないせいで——といいたいところですが、ちょっと違います。たとえ景気がいいときでも、そんなに給料は大盤振舞いで上がりゃしません。

厚生労働省の統計で一人あたりの現金給与の推移を見ると、バブル絶頂のころだって、五年かかって年収にして八〇万円程度のアップでした。ゆとりローンを始めた九五年とその五年前を比べると、せいぜい四五、六万円のアップでしかありません。六年目から一〇〇万円も増える返済をできるはずがないんです。ゆとりローンが始まったころから、あれはヤバい、詐欺まがいだぞと危惧する声は上がっていたのです。

詐欺呼ばわりされた張本人の住宅金融公庫にいわせれば、ゆとりローンは、平成二年の日米構造協議の産物として押しつけられたものだったそうです。日本政府はこの協議で、日本の住宅は狭すぎるから、もっと広い家をジャンジャン新築して内需拡大を図りなさい、というアメリカさんからの命令を飲みました。政府や官僚のみなさんは、その目標をクリアするために、狭い借家暮らしの貧乏人に住宅ローンをばんばん組ませて、住宅建設を促進すればいいじゃん、って軽く考えていたのです。

平成一〇年は、このゆとりローンの犠牲者たちが返済六年目に突入する年にあたっていまして、案の定、脱落者が大量に出たのです。

家はガラクタ

住宅ローンを申し込むと、たいてい、生命保険の加入と、保証会社との契約を求められます。生命保険は当然、もしもの場合にローン全額を埋め合わせるためのものです。保証会社ってのは、借りた人を保証するのでなく、貸した側を守るためのものです。

現在は民間の銀行が、店の前で客引きせんばかりに、住宅ローンに力を入れてます。しかし以前は、一般の勤め人が住宅ローンを借りるとなると、住宅金融公庫をあてにするのが普通だったので、公庫の例でお話しします。公庫から借りた人は、公庫住宅融資保証協会とも契約を結びます。もし返済の途中で、お手上げだ、もう返済できない、となったら、保証協会がとりあえずその人のローンを全額肩代わりして、公庫に払ってくれます。

全額払ってくれるといっても、それで救われるのは貸し手側の公庫だけです。借りた人のローンがちゃらになるわけではなく、借金の相手が公庫から保証協会に替わるだけで、残金はすべてそのままです。

しかも、日本では家の価値は購入価格よりかなり安くなってしまうので、家を差し出して処分してもらっても、ローンを全額ちゃらにすることはできません。家がなくなってローンだけが残ります。ローンを確実にちゃらにできる唯一の方法は、生命保険です。

日本の庶民にとって、マイホームは生涯一度の夢なのです。一度つかんだ夢を手放すことを、かたくなに拒む人がいるんです。

現在、日本の都市部の借家は四割くらいですが、戦前は七割から八割が借家でした。庶民は一生借家住まいが普通だったんです。ニューヨークとか、アメリカの大都市だって、いまだに七割くらいが借家ですよ。

日本は戦後、家賃統制などのせいで民営の貸家経営を成り立たなくしてしまいました。貸家がたりなかったにもかかわらず、公営の貸家を造ろうとしなかったんです。それどころか、庶民に自己責任で家を買わせ、住宅建設で景気をよくする道を国民に強要しました。

映画の『男はつらいよ』シリーズは、ストーリーはマンネリですが、そのときどきの世相が反映されているので、ディテールに注目すると楽しめます。昭和四七年の『柴又慕情』では、寅さんの妹さくらとその亭主の博がマイホーム購入計画を語ります。根無し草の寅さんは、彼らの夢をけなします。すると博が、小さい家だって庶民の夢なんですよ、みたいなセリフを返します。この時代、すでにそういう考えに庶民が洗脳されてしまってたんですね。

もし欧米の庶民が日本と同じ状況に追い込まれたら、けっこう毛だらけネコ灰だらけ、とはいきません。公営の安い賃貸住宅を建てろ、と暴動を起こします。実際、七〇年代にはヨーロッパ各地で、住宅難をめぐる暴動が起きました。

早川和男さんによると、オランダのアムステルダムでは、投資目的で住宅を買い占めて住宅難に拍車をかけた投資家がいたそうで、それを知った市民たちは、その投資家の家を襲撃して破壊したそうです。それ以来、オランダは格闘技王国として名をはせることになった……かどうかは、定かではありません。

日本だって大正時代には、各地に借家人同盟という組織ができて、法外な家賃の値上げや一方的な追い立てをする大家と、激しくやり合っていたんです。ヤクザか闇金のようなあくどい脅しまでやったそうで、借家人同盟が来た、なんてことになると、当時の大家は震え上がったといいます。

ほらね、今日、最初のほうで私は、昔の日本人は自分勝手だったといったでしょ？　それが戦後、ずいぶんと素直になってしまい、日本の庶民はマイホームに夢を託し続けるようになりました。家を手放してもなお、借金が残るくらいなら、いっそのこと自殺して保険金でローンをちゃらにして、家族に夢を残すのが男の甲斐性だ、みたいに思い詰めちゃうようになったんです。経済学者が喜ぶいいかたをすれば、日本の住宅ローンの仕組みには、返済に行き詰まった人が自殺を選ぶとトクをするインセンティブが組み込まれているんです。

ここが、とってもヘンなんですね。欧米では、住宅ローンは基本的に、家そのものだけを担保としてます。もしローン返済途中でお手上げになったら、ローンを借りた銀行などに担保の家を差し出して、その時点でローン返済は終了となります。そういうことをすればもちろん、個人信用のブラックリストに載ってしまいますけど、それがなんですか。借金をちゃらにして人生をやり直すことのほうが、よっぽど大事です。

日本のオトナたちは、「人生にはテレビゲームと違ってリセットボタンはないんだ！」とわかったふうなお説教を垂れるのを得意技としてますが、とんでもない、欧米の社会には、人生のリセットボタンがあるんです。むしろ、リセットボタンのない社会のほうが、設計ミスでしょう。アジアの果てには、テレビゲームより残酷で野蛮な経済大国があります。

この違いはどこからくるかといいますと、欧米では家は資産なのですが、日本では家は消耗品のガラクタだからです。欧米では住宅ローンは、おもに家の資産価値に対して貸すもので、日本の住宅ローンは、おもに人の支払い能力に対して貸すものだという違いです。

欧米では家の価値はそんなに急激には下がりません。手入れと立地条件次第では、逆に上がることすらあります。日本では、家の価値は買った途端にぐんぐん下がり始めます。中古として売買される物件の七割は築一〇年以内のもので、ま、要するに、一〇年たつと商品価値が怪しくなってくるんです。そして三〇年で建物の評価額はゼロになります。そういうものは、資産とはいいません。

さて、ここで本日ご来場のみなさんに、素敵なご案内をいたします。本日、この講堂の入り口で、年々確実に価値が下がり、三〇年後に価値ゼロになる金の延べ棒を販売しております。本日だけの、特別価格でのご提供です。お帰りの際は、ぜひお買い求めください――といったら、だれか買ってくれます?

欧米ではローンを貸す側が必ず物件を査定しますので、結果的に手抜き建築や欠陥建築をやりにくくなってます。日本では、住宅ローンの貸し手にとって、家の価値などうでもよくて、借りる人の年収と資産しか調べません。どうせ保証会社が保証してくれるし、欠陥住宅なんかにダマされて買うやつがバカなんだ、くらいにしか考えてません。

家を作るほう、売るほうにとっては、日本は天国ですよ。どんな欠陥建築でも、手抜きのボロ家でも、ローンが通って買い手がつくし、買った人間は命がけで払ってくれるんですから。

解決策

そういうわけで、とても意外な結論なんですが、日本の自殺を減らすための確実な方法のひとつが、住宅ローンの方式を変えることなんです。基本的に家そのものだけしか担保にできないことにして、貸す側にリスクを負わせれば、必死になって建物を検査します。

鉄筋を抜いたマンションなんかにローンを貸しちゃって、それが住めなくなって住民全員がローン返済をギブアップしちまった日にゃあ、ババを引くのは貸し手のほうです。真剣に調べざるを得ません。借り手のほうだって、お手上げになったら家を返してローンを終わらせればいいんですから、自殺する必要はありません。

結果的に家や建築物の質が上がるし、自殺も減るし、いいことずくめです。まあ、しいてデメリットをあげれば、検査に時間もコストもかかるので、家の値段が上がります。貧乏人は家を買えなくなって、一生賃貸暮らしになるかもしれません。新築住宅の販売数が減るので、もしかしたら、日本のGDPがほんのちょっと減る可能性もあります。

でもそれって、デメリットなんでしょうか。ローンを貸す側が担保物件の価値をよく調べるのは当然のことです。質屋だって、質草のブランド品がホンモノかニセモノか鑑定した上でないとカネを払わないでしょう。物件の検査に時間をかけるのは当然の仕事です。

日本では老人に家や部屋を貸さないから、一生賃貸暮らしは無理だというのが定説になってますが、不動産コンサルタント業を営む長嶋修さんは、それはこれまでの話だと、異を唱えます。これから日本はますます高齢化が進むので、今後、年寄りに家を貸さないと賃貸業は成り立たなくなるというのです。

新築住宅の建設が減るとGDPが減るってのも、まるで信憑性に乏しい説です。だって、家を買わなくなると、みんなそのぶんのお金を使わずに、そっくり床下に埋めちまうんですか？　そんなこたぁないでしょう。なんか他のものに使うはずです。むしろ現状では、住宅ローンの支払いに汲々として、娯楽や食料品などの出費を抑えているご家庭が多いのですから、家を買わなくて済むなら、もっとお金を使うはずです。

それに、日本ではこれまで、中古住宅の売買がほとんどされてきませんでした。新築着工数に比べて中古の販売量は七分の一くらいしかないんですよ。それは、家が築三〇年くらいで建て替えが必要になる消耗品だったからです。家の品質や耐久性が上がれば、中古住宅を選ぶ人が増えて、流通が活発になるはずです。そうなれば新築の減ったぶんを埋め合わせてくれるはずです。

住宅建設が減ると建築材料や家電製品などの売り上げが減って景気に悪影響を及ぼす、とかなんとか、シンクタンクの研究員は、まことしやかな計算をはじき出しますけど、そういう机上の空論で世間をたばかるのは、そろそろやめてくださいね。アメリカでは中古住宅の販売数が、新築の三倍くらいもあるんです。圧倒的に中古が多いんです。七〇年代からずっとそうなんです。それなのに、中古住宅のせいで景気が悪くなったなんて話が、アメリカから聞こえてきたためしがありません。

地価よ下がれ！

それにしても、日本人は住宅や土地の問題に無関心すぎます。日本人が不幸な原因の大部分は、土地の値段が高いせいなんですから。九〇年代に、日本の地価は欧米の一〇倍から三〇倍といわれました。当時と比べて地価は半値くらいになりましたけど、それでもまだ五倍から一五倍ですよね。欧米では土地の値段は利用価値で決まるとされますが、日本ではその法則は成り立ちません。だって、東京のマンションやオフィスビルの賃貸料はニューヨークの一〇倍もしないんですから。

ちょっと古い資料になってしまいましたが、平成七年版の『国民生活白書』には、戦後日本社会のさまざまな変化がまとめてあって便利なので、引っぱり出してきました。

そこに掲載されている住宅関連のデータによると、昭和三〇年から平成六年までの約四〇年間で、勤労者の平均年収は約二〇倍になってます。住宅の建築費も二〇倍。平均的な物価水準が五倍から六倍程度なんで、他に比べると高いですけど、人件費と考えれば、大工さんや左官屋さんの年収だって二〇倍にならなきゃ不公平ですからね、まあ、ぎりぎり納得できなくもないところ。

しかし土地価格は全国平均で八五倍、首都圏だと一二七倍になってます。しかもこれ、平米あたりの単価ですからね。一戸当たりの土地面積も、昔に比べて広くなってますので、実際の土地購入に必要なお金は、四〇年前の一五〇倍から二三〇倍も必要です。これで誰がトクするってんですか。

一般人に買ってもらう家は、資産でなく商品です。一般人が家を買うために用意できる資金には限度があります。そのうちの半分以上を高い土地代に持ってかれちゃったら、そのぶん建物のコストを削るしかないんです。手抜き工事か材料をケチるかしかありません。

日本の国は栄えてるのに、日本人はなんで豊かになれないんだと庶民が素朴な疑問を口にすると、勝ち組エリートのみなさんは、データを楯に反論してきます。戦後、日本の物価は六倍になったけど、給料は二〇倍になったんだから日本人が豊かでないってのは、気のせいだ、とおっしゃいます。

データ万歳！　貧乏も格差も気のせいだったんです！　持ち家政策を強要され、稼ぎの多くを無意味に高い土地代に費やして、あげくの果てに返せなくなって自殺に追い込まれる人が跡を絶たないのも、気のせいです。お米の食糧自給率が一〇〇パーセントなんだから、腹が減るのは気のせいです。データ万歳！

地価が上がれば資産価値が上がるのだからいいじゃない、なんてお気楽なことをいう人が、いまだにいます。任天堂の脳のトレーニングソフトが何百万本も売れたそうですが、いまひとつ効果が出ていないようです。あのう、残念ながら土地ってのは、売るか貸すかしないかぎり、一銭にもならないんですよ。自分がいま住んで、暮らしてる土地が値上がりしたからって、そうおいそれと売るわけにいかないでしょう。

「地価が上がったから、わが家を売ったよ。儲かっちゃったから、高級霜降り肉をどっさり買ってきたぞ。さあ、今夜は焼肉パーティーだ」

「すごいやパパ。じゃあ、今度はどこに住むの？」

「あ、そうか。次に住む家を買わなきゃいけないんだ」

自分の土地が上がったってことは、周りの土地もみんな値上がりしてますから、新しい家なんか高くて買えません。うっかりパパさん、早く住む場所を見つけないと、霜降り肉を抱えたままホームレスになってしまいます。

逆に、自分の住んでる土地価格が下がって損をする人はいません。むしろ、固定資産税が下がって得をします。資産価値が下がると消費が減るという説がありますが、清水谷諭さんは、日本では土地資産価格と消費の関連はほとんど見られないという研究結果を発表しています。

借家住まいの人だけでなく、持ち家にお住まいのかたも、じつは地価が下がることを望んでいるんです。これを裏づけるデータがあります。二〇〇一年に、ある不動産関連の研究所が東京地区でアンケートを取ったところ、持ち家に住む人で、地価が下がることを望んでいた人が二九八人。上がるのを望んだのは、その半分の一五四人。

しかも年収別のデータでは、地価が上がることを熱烈に望んでいたのは、年収一五〇〇万円以上の層でした。この階級になると、いま住んでる土地のほかに、自由に処分できる土地を持ってる世帯が四割くらいにのぼります。こういうセレブな人ならば、地価が上がれば、売ってトクして、焼肉食べ放題です。セレブも焼肉食うのかな？

要するに、地価が上がることで本当に儲かるのは、投資用の土地で土地転がしができる、ごく一部のお金持ちだけなんです。「地価が下がると日本経済に悪影響を与える」なんてセリフは、金持ちのたわごとにすぎませんから、聞き流してくださいね。たしか、セルバンテスでしたかね、「金持ちのたわごとは格言で通る」という名言を残したのは。

地価がタダ同然まで下がるか、住宅ローンの方式が変わるか、はたまた、宝くじで一億円当たりでもしないかぎり、ばかばかしくて家なんか買う気になれません。国会議員や国家公務員のみなさんを見習ってください。彼らは都心の一等地にある専用の賃貸住宅に、格安の家賃でお住まいになってるじゃないですか。それなのに、庶民が命を担保に家を買わなくちゃならない理由なんて、どこにもありません。

人を救えるのは人だけ

さて、データを軸に、缶コーヒーから犯罪、格差、自殺、果ては住宅問題まで考えてきました。

結局、データのみで判断することのいいかげんさを批判するようでいて、私もデータを並べてることには変わりないんです。ただ、私は失業対策とか景気対策なんてあやふやなデータを用いた一般論よりも、住宅ローン改革のほうが具体的で確実に自殺を減らせるし、日本人の住環境を改善できると考えているので、データでそれを示したわけです。データも方便、ですね。

でも、失業対策も住宅ローン改革も、間接的な自殺予防効果しか持たないという点では、一緒です。いままさに自殺しようとしている人を救うことはできません。

では最後に、いままさに自殺しようとしてる人を救う方法をお教えしましょう。それは、話を聞いてやること。え、それだけ？　そう、それだけでいいらしいんです。自殺志願者の話に耳を傾けるだけで、かなりの自殺を防止できるというのが、自殺の研究をしている心理学者や精神科医、ボランティア活動家などの一致した結論です。

しかも驚いたことに、専門家のアドバイスよりも、シロウトのボランティアによる電話相談のほうが、自殺防止の効果はずっと高いそうで、それは現在では、リットマンの法則として知られています。シロウトによる電話相談の効果に感動した、ロサンゼルス自殺防止センターの精神科医リットマンさんが、「危機が強ければ強いほど、専門的なケアを必要としない」と発言したところからついた名前だそうです。

しかし日本人は敗者や弱者にひどく冷淡になる一面がありまして、昔から、自殺しようとしてる人はとめてもムダ、というのが常識とされていて、自殺防止対策は長らくとられてこなかったのです。

日本には「いのちの電話」という自殺防止のための電話相談がありますが、これはドイツ人宣教師のヘットカンプさんが奔走して、昭和四六年に開設されたものです。ヘットカンプさんはもちろん日本の専門家にも相談したのですが、そんなもん日本では役に立たないだろうと疑問視する声ばかりで、協力はほとんど得られなかったそうです。ところが開設したその日のうちに二五二件もの相談が来たってんですから、専門家はいざというとき役に立たないという、リットマンの法則が証明されてしまいました。

といっても、誰でも話を聞きゃあいいってもんじゃなくて、聞きかたに気をつけないと逆効果になるので、注意が必要とのことです。そのために、「いのちの電話」の相談員は、二年間も研修を受けてからでないとなれないそうなんです。

要は、上からものをいわないのが原則だそうで、おまえはそんなんだからダメなんだ、と説教したり、世間は甘くないよ、みたいな一般論で片づけたり、なんの根拠もなく大丈夫だよ、となぐさめるのもいけないそうです。難しいもんですね。私みたいにすぐ皮肉な返答をしてしまう人間も、相談員としては失格です。

結論やアドバイスよりも、とにかく真剣に耳を傾けることが大切といいますから、専門家がダメってのもわかります。専門家ってのは、専門的なアドバイスを授けて相手の上に立ち、尊敬されることを無上の喜びとしている人たちですから。カナダで自殺の研究をしていて自殺研究に関する著書を何冊も出している布施豊正さんは、研究だけで飽きたらず、実際にボランティアの相談員として活動したそうです。なかなかできないことです。

結局、最後に頼りになるのは、人間同士のつながりしかないってことですね。論理もデータも学問も、最終的には、人を救ってはくれません。人を救えるのは、人だけです。こんなことというと、浪花節を語るんじゃねえよ、個人の活動なんかで救える人数はたかが知れてる、マクロ的な解決策こそが有効なんだ、とシニカルな人たちは嗤うかもしれません。

けど、じつは奇しくも一〇〇年前に、膨大なデータと格闘して『自殺論』を書いたデュルケームも、人間同士の絆が弱い社会ほど自殺が多いという結論にたどり着いてるんです。膨大なデータの分析ののちに、こんなあいまいな結論を出さざるを得ないところが、人間と社会の複雑さを示してます。同時に、人間同士の絆が強すぎても自殺が多いというんですから、極端はいけないってことです。やっぱり世の中、いいかげんが一番。

実際に社会や人間と関わり合うことって、大切ですよ。ドラマって、他人同士が関わり合うことで生まれるんです。これはフィクションの世界だけの話ではありません。現実の世界でもそうです。会社の同僚や上司、学校の先生・友人だって、その会社や学校にたまたま入るまでは赤の他人だったわけですから。

ドラマのない人生なんて、つまんないじゃないですか。社会も人生も、おもしろいほうがいいに決まってます。社会がおもしろければ、みんな生きてみようって気になりますよ。

なにも、夜回り先生みたいな体をはった活動をやれとはいいませんし、自殺防止のボランティア活動に参加しろと無理強いもしません。博愛主義みたいなきれいごとも要りません。誰だって嫌いな人間、虫の好かない人間はいます。私だって、理屈ばかりこねる学者なんぞと飲みに行くのは、絶対お断りします。

ただ、赤の他人や個人とじかに関わりあおうとする気持ちを持ち続けるだけでいいんです。織田作之助は戦後まもないころ、世相なんて言葉は、人間が人間を忘れるために作った便利な言葉にすぎない、と書きました。人間を忘れて世相や世間や社会を論じることの虚《むな》しさ、滑稽さったら、ないです。

近所のガキも、たまたま同じ電車に乗り合わせた化粧女も、いけすかないヘリクツ学者も、自分と同じ社会に暮らす生身の人間だという意識。そういう気持ちを持てない人、人間を信じられない人には、川の流れを変えるような、マクロ的な社会政策をエラそうに主張する資格はないと思いますね。

参考文献一覧

第一夜　つっこみ力とはなにか

『新渡戸稲造全集』教文館
『明治ニュース事典』毎日コミュニケーションズ
『tone』２００５年8月号　ユニバーサル・コンボ
飯田哲也・早川洋行　編著『現代社会学のすすめ』学文社
『広説佛教語大辞典』東京書籍
『仏教文化事典』佼成出版社
『日本国語大辞典　第二版』小学館
中村幸彦『増補戯作論』（『中村幸彦著述集第八巻』）中央公論社
平賀源内『放屁論』（『日本の名著22』）　楢林忠男訳　中央公論社
矢内原忠雄『余の尊敬する人物』岩波新書
小関智弘『仕事が人をつくる』岩波新書
上岡龍太郎『上岡龍太郎かく語りき』ちくま文庫
マーク・トウェイン『ハックルベリー・フィンの冒険』西田実訳　岩波文庫

『メディア・リテラシー』カナダ・オンタリオ州教育省編　FCT訳　リベルタ出版
鈴木みどり編『メディア・リテラシー――メディア・リテラシーを学ぶ人のために』世界思想社
菅谷明子『メディア・リテラシー』岩波新書
国立国語研究所　外来語定着度調査
谷岡一郎『「社会調査」のウソ』文春新書
日垣隆『情報の「目利き」になる！』ちくま新書
小島貞二『漫才世相史』毎日新聞社
鶴見俊輔『太夫才蔵伝』平凡社ライブラリー
相羽秋夫『漫才入門百科』弘文出版
古川緑波『苦笑風呂』（復刻版）大空社
藤本義一『男の遠吠え』サンケイ新聞出版局
『上方演芸辞典』東京堂出版
ハワード・ヒベット＋文学と笑い研究会編『笑いと創造　第四集』勉誠出版
『社会学事典』弘文堂
山口昌男「笑いの博物誌」（『山口昌男ラビリンス』）国書刊行会
高平哲郎『スタンダップ・コメディの勉強』晶文社
井上宏『まんざい――大阪の笑い――』世界思想社
秋田實『秋田實名作漫才選集2』日本実業出版社

和辻哲郎『風土』岩波文庫
『人間の許容限界ハンドブック』関邦博 他編 朝倉書店
篠原佳年『絶対モーツァルト法』マガジンハウス
『森達也の「ドキュメンタリーは嘘をつく」』２００６年3月26日放送 テレビ東京
富山英彦『メディア・リテラシーの社会史』青弓社
トマス・ホーヴィング『にせもの美術史』雨沢泰訳 朝日文庫
ジョン・モリオール『ユーモア社会をもとめて』森下伸也訳 新曜社
『メイキング・オブ THE PRODUCERS』（ＤＶＤ『プロデューサーズ』ユニバーサル・ピクチャーズ・ジャパン）
中込重明『落語の種あかし』岩波書店
立川談志『現代落語論 其二 あなたも落語家になれる』三一書房
柳家つばめ『創作落語論』三一書房
労務行政研究所『労政時報』
厚生労働省「賃金構造基本統計調査」
田中秀臣『ベン・バーナンキ 世界経済の新皇帝』講談社
『日本経済新聞』２００６年2月2日
ＤＶＤ『愛の戦士レインボーマン Ｍ作戦編』東宝
『世界国勢図会』国勢社

財務省貿易統計（http://www.customs.go.jp/toukei/info/index.htm）
スティーヴン・ランズバーグ『ランチタイムの経済学』吉田利子訳　日経ビジネス人文庫
ピエール・ブルデュー『住宅市場の社会経済学』山田鋭夫・渡辺純子訳　藤原書店
清水克俊・堀内昭義『インセンティブの経済学』有斐閣
太田省一『社会は笑う』青弓社

幕間　みんなのハローワーク――職業って、なんだろう
パオロ・マッツァリーノ「日経よく読まない人」（『日経ビズテック』２００５年9月号　掲載）
厚生労働省「今後の高齢者雇用対策について」２００３年7月
厚生労働省「雇用管理調査」２００４年1月
別役実『当世・商売往来』岩波新書
星野周弘　他「暴力団員の生活構造の研究」（『日本の犯罪学7』東京大学出版会　所収）
武野秀樹『GDPとは何か』中央経済社
尾高邦雄『尾高邦雄選集第一巻　職業社会学』夢窓庵
『国際標準職業分類　１９８８年改訂版』日本労働研究機構
『労働省編職業分類の改訂に関する研究』日本労働研究機構
『USA TODAY』（http://www.usatoday.com/）２００４年5月4日

『世界の青年との比較からみた日本の青年―第6回世界青年意識調査報告書』総務庁青少年対策本部
厚生労働省「賃金構造基本統計調査　平成17年」
総務省統計局（http://www.stat.go.jp/）
警察庁『犯罪統計書』各年版
林知己夫・櫻庭雅文『数字が明かす日本人の潜在力』講談社
『賃金事情』２００５年7月5日号　産労総合研究所
『労政時報』各号　労務行政研究所
『役員の報酬・賞与・年収』各年版　政経研究所
荻原勝『中小法人のための社長・会長の報酬・退職金１００問１００答』大蔵財務協会
『萩本欽一　ダメな奴なんていない』２００６年7月11日放送　ＮＨＫ教育テレビ

第二夜　データとのつきあいかた

『東洋経済統計月報』２００５年12月号
全日本コーヒー協会『コーヒーの需要動向に関する基本調査（２００２年第11回調査）』
『日経産業新聞』２００５年7月26日
赤川学「人口減少社会における選択の自由と負担の公平」（『社会学評論』２００５年No.１掲載）